MARIE DE LAUBIER

SAINT-GOBAIN
1665-2015

LE PASSÉ DU FUTUR

Préface de Pierre-André de Chalendar
Portraits de Benjamin Chelly

ALBIN MICHEL

SOMMAIRE

PRÉFACE

C'EST AVEC une naturelle fierté, et une certaine émotion, que nous fêtons cette année les 350 ans de notre entreprise. Nous sommes redevables aux générations passées d'un bel héritage, d'une histoire extraordinaire commencée en 1665 de manière à la fois glorieuse (une création voulue par Louis XIV et Colbert) et rocambolesque (des changements incessants de capitaux, un savoir-faire volé pour rien aux Vénitiens), et nous envisageons l'avenir avec la sérénité et la philosophie des entreprises qui ont traversé les siècles, les révolutions politiques et industrielles, les guerres, et qui ont su changer avec le monde qui les entourait. Cette Compagnie, née pour protéger le royaume de France des importations vénitiennes, s'est ouverte à l'Europe au XIXᵉ siècle, au reste du monde au XXᵉ siècle. Elle est aujourd'hui présente dans 64 pays, emploie 190 000 personnes qui sont parfois éloignées géographiquement et culturellement de la France, mais qu'une si longue histoire et le nom de Louis XIV font certainement rêver.

Pour Arnaud de Vogüé, qui présidait aux destinées de Saint-Gobain au moment de son tricentenaire, la longévité de Saint-Gobain reposait sur son esprit d'entreprise et d'innovation. Notre secret, c'est aussi de vivre sur un temps long, celui qui permet de relativiser et de mettre en perspective. Saint-Gobain n'a jamais été une entreprise familiale, mais elle fut pendant longtemps une entreprise de familles, avec une direction collégiale très marquée. De cet héritage, nous avons gardé un certain « esprit de famille », un sentiment d'appartenance fort et un attachement presque sentimental à notre entreprise, qui perdure souvent bien au-delà de notre vie professionnelle. Le tour de force de Saint-Gobain est aussi d'avoir fait partager son histoire, sa culture, ses valeurs à des entreprises très différentes qui ont rejoint le Groupe au fil du temps.

Saint-Gobain, c'est aussi bien sûr la passion de la technique, de l'industrie, de la recherche. Il est fascinant de penser que cette Manufacture des glaces, créée pour produire un bien de luxe, est devenue un groupe avec un portefeuille de produits d'une diversité remarquable. Le verre y est toujours présent, sans discontinuer depuis 1665, mais il s'est beaucoup métamorphosé et a su s'allier à bien d'autres matériaux, jusqu'aux plus complexes, pour dessiner la maison de demain, économe en énergie et accessible au plus grand nombre.

> LE VERRE EST TOUJOURS PRÉSENT, SANS DISCONTINUER DEPUIS 1665, MAIS IL S'EST BEAUCOUP MÉTAMORPHOSÉ ET A SU S'ALLIER À BIEN D'AUTRES MATÉRIAUX, JUSQU'AUX PLUS COMPLEXES, POUR DESSINER LA MAISON DE DEMAIN, ÉCONOME EN ÉNERGIE ET ACCESSIBLE AU PLUS GRAND NOMBRE.

Saint-Gobain enfin, c'est une attention particulière aux personnes, les collaborateurs bien sûr, mais aussi les fournisseurs, les sous-traitants, les clients, les partenaires… Saint-Gobain a toujours mis l'homme au centre de ses préoccupations et a manifesté une constance remarquable dans ses principes et ses valeurs.

Cet ouvrage n'est pas une histoire de Saint-Gobain. Plusieurs historiens se sont déjà penchés sur notre riche passé, qui appartient aussi à l'histoire de France. Ce livre n'a d'autre ambition que d'essayer de montrer les différentes facettes du Saint-Gobain d'aujourd'hui, son identité particulière et unique forgée par ses 350 ans de vie et de péripéties. Puisse le lecteur qui nous connaît un peu dire : « Ah oui, c'est bien Saint-Gobain ! », puisse le lecteur qui ne nous connaît pas avoir envie de nous fréquenter !

On dit que les entreprises qui vont avoir cent ans redoutent de fêter leur anniversaire car l'homme a tendance à projeter sur l'entreprise sa propre longévité. Cent ans sont un cap. Trois cent cinquante ans sont en revanche pour nous un âge de raison et une promesse pour l'avenir.

Pierre-André de Chalendar
Président-directeur général
de Saint-Gobain

I.
LES VISAGES DE SAINT-GOBAIN

« L'entreprise est une communauté d'hommes et il est, après tout, bien normal que les problèmes des hommes soient le premier souci des responsables derniers de l'entreprise. Je ne crois pas qu'il s'agisse d'une novation. L'histoire des entreprises qui ont survécu montre qu'elles avaient su, parfois sans le dire, donner cette primauté aux questions humaines. Le temps a changé la forme des choses, et non le fond. »

Roger Martin,
note du 8 juillet 1974

Louis XIV par Le Brun, pastel (1667).

COLBERT : "LES CHOSES FACILES NE PRODUISENT POINT OU PEU DE GLOIRE".

Jean-Baptiste Colbert
par Robert Nanteuil, pastel (1676).

LOUIS XIV ET COLBERT

C'est une volonté régalienne qui préside à la naissance de la Manufacture des glaces, mais si l'intention est forte (politique protectionniste et création de richesses dans le royaume prônées par le ministre Colbert qui a pris beaucoup d'ascendant dans l'entourage de Louis XIV), les débuts de la Manufacture sont assez chaotiques. Des capitaux privés, pour une part provenant de la « clientèle » de Colbert, surintendant des bâtiments, arts et manufactures, sont le socle de la nouvelle Manufacture des glaces créée en 1665 pour contrer les célèbres productions vénitiennes. Les miroirs font partie de cet artisanat du luxe qui n'est pas négligeable dans l'économie d'Ancien Régime. Si le soutien du roi est réel, si le monopole et les exemptions de taxes accordés à la Manufacture naissante sont des atouts considérables, le montage de capitaux est instable et le savoir-faire technique difficile à arracher aux Vénitiens... « Les choses faciles ne produisent point ou peu de gloire et d'avantages, nous dit Colbert ; les difficiles, au contraire. »

LES VÉNITIENS

La République de Venise veillait jalousement sur ses verriers installés depuis le XIIIe siècle sur l'île de Murano. La production vénitienne de glace soufflée, d'abord utilitaire, devient aux XVe et XVIe siècles extrêmement raffinée et se répand dans toute l'Europe. Les miroirs étaient faits de verre très blanc, le *cristallino*, recouvert ensuite d'une couche d'étain et de mercure. Ils étaient de dimensions et de qualité supérieures à ceux que l'on trouvait au Moyen Âge. Le miroir devient un objet de décoration et le miroir vénitien un véritable phénomène de mode dont Murano détient pratiquement le monopole technique et commercial.

> « LA CRÉATION DE LA MANUFACTURE DES GLACES PAR LOUIS XIV NE PEUT SE FAIRE SANS LE SAVOIR-FAIRE DES VÉNITIENS, POUR LESQUELS DES PEINES SÉVÈRES ÉTAIENT PRÉVUES EN CAS DE DIVULGATION DE LEURS SECRETS DE FABRICATION. »

La création de la Manufacture des glaces par Louis XIV ne peut se faire sans le savoir-faire précieux des Vénitiens, pour lesquels des peines sévères étaient prévues en cas de divulgation de leurs secrets de fabrication. Les lettres patentes signées en 1665, par lesquelles Louis XIV donne à un certain Du Noyer, un prête-nom, l'autorisation d'établir une ou plusieurs verreries pour y fabriquer « des glaces à miroir », précisent qu'il faut « faire venir de laditte ville de Venise en celle de Paris des ouvriers Vénitiens les plus habiles dans ledit art de faire des glaces et autres ouvrages de cristal ». S'ensuit une *commedia dell'arte* rocambolesque : le débauchage d'ouvriers muranais et l'inquiétude des inquisiteurs d'État de la République de Venise devant la fuite de leurs verriers. Ils seront suspectés d'avoir fait empoisonner deux d'entre eux. Ébranlés par ces morts mystérieuses mais surtout par la mauvaise volonté de ces Muranais à transmettre leur savoir, les dirigeants de la Manufacture leur donnent congé.

La Manufacture, si mal partie, allait être sauvée par Richard Lucas de Nehou, qui fait apport de sa verrerie de Tourlaville, puis par son neveu, Louis, qui allait mettre au point une idée dans l'air du temps, le procédé révolutionnaire du coulage en table, qui restera en usage jusqu'au XXe siècle ! La glace n'est plus soufflée mais coulée sur une table métallique. Elle est plus épaisse et plus régulière. Surtout, la taille des glaces, limitée par le soufflage à la bouche, augmente sensiblement : les miroirs deviennent plus grands donc plus beaux et plus désirables…

UNE ENTREPRISE DE FAMILLES

La Manufacture royale des glaces, devenue en 1859 Manufacture des glaces et produits chimiques de Saint-Gobain, Chauny et Cirey puis, un siècle plus tard, Compagnie de Saint-Gobain, ne fut jamais une entreprise familiale mais une entreprise de familles. Pas d'entrepreneur individuel mais un conseil collégial qui assure la direction générale des affaires.

Souffleur de verre de Murano,
aquarelle de Jan Grevenbroeck
(XVIIIᵉ siècle).

Aux associés changeants des origines se substitue à partir de 1702, sous les auspices du nouveau contrôleur général des finances, un consortium de financiers protestants mené par Jacques Buisson, associé à la maison de banque genevoise Saladin. Ces familles genevoises qui contrôlent le capital et supervisent la bonne marche de la Manufacture verront leur influence baisser au XIXe siècle au profit de familles de la noblesse et des élites parisiennes : les Gérard, Vogüé, Hély d'Oissel, de Broglie, Roederer, qui donneront un ou plusieurs présidents à l'entreprise. On est attaché à Saint-Gobain « par l'héritage des souvenirs paternels », dit le duc de Broglie. L'héritage est une notion importante pour les dirigeants de Saint-Gobain : héritage reçu, héritage à transmettre. Arnaud de Vogüé, dernier président de Saint-Gobain avant la fusion de 1970 avec Pont-à-Mousson, est une bonne illustration de cette tradition du gentilhomme arrivé aux affaires par le jeu des cooptations familiales. La fusion de 1970 représente une scission dans ce mode de fonctionnement, en adéquation avec les changements du temps : place au capitaine d'industrie, sélectionné après une carrière sur le terrain, *primus inter pares*. Les impétrants malchanceux vont chercher fortune ailleurs et, comme le dit Roger Fauroux, Saint-Gobain est comparable à la dynastie hanovrienne qui au XIXe siècle plaça ses enfants sur tous les trônes d'Europe !

ROGER MARTIN OU LE GRAND PATRON QUE SAINT-GOBAIN N'ATTENDAIT PAS

Roger Martin arrive à la tête de Saint-Gobain sur un coup du sort : Saint-Gobain, exsangue sur le plan financier après l'OPA d'Antoine Riboud, qui échoue au début de l'année 1969, a la possibilité, grâce à l'entremise de Suez, de fusionner avec le groupe industriel Pont-à-Mousson (spécialisé dans la fonderie et la sidérurgie). Roger Martin, qui dirigeait PAM depuis 1964, prend les commandes du nouveau Groupe et met ses solides compétences d'ingénieur et de meneur d'hommes, ainsi que la rigueur mussipontaine, au service de celui-ci. Il en voit rapidement les atouts et les faiblesses et en tire immédiatement les conséquences : cession des intérêts pétroliers et des activités chimiques de Saint-Gobain, retrait du secteur nucléaire, solde des participations de Pont-à-Mousson dans la sidérurgie. Il s'agit de se concentrer sur des activités phares, en particulier le verre, l'isolation et la fonte.

Les années Roger Martin sont synonymes de réorganisation. Les sociétés du Groupe sont réparties en départements, axés davantage sur la notion de marché que sur celle de produit. Les principes d'organisation de Roger Martin prévalent encore aujourd'hui : la réorganisation en départements industriels et en directions fonctionnelles, la direction du Plan, par exemple, créée en 1972, l'instauration de réunions Budget et Plan pour chaque

Roger Martin (1981).

le premier choc pétrolier et s'inquiète des perspectives de nationalisation qui surgissent dans le Programme commun élaboré par les partis socialiste et communiste en vue des élections législatives de 1978. Il n'hésitera pas à dire publiquement ce qu'il en pense. C'est un homme assez réservé et intimidant mais qui a bien compris l'importance de la communication ; il crée d'ailleurs une direction qui en est chargée, dirigée par un ancien journaliste de *L'Express*. Roger Martin est également un fin psychologue qui attache beaucoup d'importance à la gestion des hommes, et qui ne craint ni le franc-parler ni l'humour. Ses mémoires en sont la preuve mais également les notes qu'il adressait à ses collaborateurs : « En ce qui concerne les méthodes de travail, sans doute avons-nous été trop loin, et j'en porte la responsabilité, dans le souci d'éviter les réunions trop longues et trop nombreuses. Pour que les hommes se connaissent et s'apprécient, il n'est pas mauvais qu'ils s'ennuient quelquefois ensemble. Je garde un souvenir vivace des grandes réunions de Nancy de l'ancienne Compagnie de Pont-à-Mousson : réunions "trésorerie", réunions "bilan", sans oublier les réunions "prix de revient" de l'ancienne Société des fonderies de Pont-à-Mousson. »

branche industrielle… Roger Martin prône par ailleurs les mérites de la décentralisation contrôlée : les filiales sont plus autonomes dans leur gestion quotidienne, mais la Compagnie contrôle étroitement d'une part l'exécution de leur budget et détermine la politique industrielle de l'ensemble d'autre part. La Compagnie de Saint-Gobain-Pont-à-Mousson devient une holding détenant directement ou indirectement plus de cent cinquante sociétés industrielles, commerciales ou financières de vingt nationalités.

Interview de Roger Martin (1977).

Roger Martin fait traverser au Groupe la période difficile qui suit

ROGER FAUROUX OU LE CORPS ET L'ÂME DE L'ENTREPRISE

C'est un inspecteur des finances doublé d'un intellectuel (comme le définit Alain Minc), esprit libre et curieux, normalien agrégé d'allemand, qui est choisi par Roger Martin pour lui succéder à la tête du Groupe en 1980. Entré en 1961 à Pont-à-Mousson, dont il est directeur financier, il garde sa charge, considérablement élargie, après la fusion de 1970 avec Saint-Gobain et apparaît très vite comme le dauphin de Roger Martin.

Roger Fauroux va faire traverser au Groupe les années délicates de la nationalisation, annoncée en juillet 1981 et mise en œuvre en février 1982. « Il m'aurait paru inconvenant de quitter le navire dans la tempête puisque j'étais commandant de bord », dit-il, et cette formule résume assez bien son sens du service et de l'intérêt général. Il devra rassurer les actionnaires, le personnel, les filiales étrangères, composer avec de nouvelles règles de gestion et un poids accru des syndicats, dont il sait se faire des alliés, mettre en œuvre plusieurs retraits dont celui, qu'il déplore, de la filière informatique, digérer le demi-échec de la prise de contrôle sur la Compagnie générale des eaux. Surtout, Roger Fauroux affronte des années très difficiles sur le plan éco-

Discours de Roger Fauroux devant François Mitterrand aux Miroirs, siège de Saint-Gobain (1984).

> ROGER FAUROUX :
> "IL M'AURAIT PARU INCONVENANT DE QUITTER LE NAVIRE DANS LA TEMPÊTE PUISQUE J'ÉTAIS COMMANDANT DE BORD."

nomique. La crise qui suit les chocs pétroliers s'avère aussi dure que celle des années trente. De 1976 à 1986, les effectifs ont diminué nettement. Roger Fauroux sait tenir en équilibre les deux plateaux de la balance que sont lucidité économique et humanisme. Il favorise la création d'une entité, Saint-Gobain Développement, destinée à soutenir la création d'emplois dans les régions où Saint-Gobain en supprime. « Le catéchisme [de Saint-Gobain Développement] exigeait que chaque personne licenciée ou déplacée soit traitée individuellement comme si son cas était unique ». Roger Fauroux ou comment concilier corps et âme de l'entreprise, c'est-à-dire impératif de rentabilité et respect des hommes, dans une vision

Roger Fauroux (1981).

Jean-Louis Beffa (1981).

démocrate-chrétienne assez fidèle à la tradition de Saint-Gobain.

En 1986, il estime plus sage de passer le témoin au successeur qu'il a choisi, Jean-Louis Beffa, pour assurer la nouvelle étape de privatisation. Les efforts consentis par le Groupe sous la présidence de Roger Fauroux vont contribuer au retour des résultats positifs pendant l'année 1986.

Discours de Jean-Louis Beffa lors des Assemblées générales d'actionnaires de 1987 et 2010.

JEAN-LOUIS BEFFA OU PRATIQUE ET THÉORIE DE L'INDUSTRIE

Jean-Louis Beffa, brillant X-Mines entré chez Saint-Gobain en 1974 comme directeur du Plan, puis président-directeur général de Pont-à-Mousson avant de devenir celui du Groupe, est un passionné d'industrie et un conquérant (à qui rien ni personne ne résiste) qui saisira toutes les chances de favoriser l'expansion de Saint-Gobain, auquel son nom sera définitivement associé. Il définit Saint-Gobain comme un ordre monastique ou une tribu qu'il n'aurait voulu quitter pour rien au monde. Sa première mission est d'assurer la privatisation de Saint-Gobain, qui sera un succès : 20 millions d'actions trouvent preneurs en décembre 1986 et janvier 1987. La capitalisation boursière est multipliée par sept de 1987 à 1997, le cours de l'action par trois.

Les années de sa présidence sont marquées par un bouleversement complet du portefeuille d'activités du Groupe : cession des branches les plus cycliques, acquisitions majeures de Norton (abrasifs et céramiques industrielles), Carborundum (carbure de silicium), British Plaster Board (gypse et plaques de plâtre). En 1996, le groupe industriel qu'est Saint-Gobain se lance dans le négoce de matériaux de construction avec l'achat du groupe Poliet (réseaux Point.P et Lapeyre notamment) qui sera suivi d'autres acquisitions dans ce secteur en Europe, au Brésil, aux États-Unis. Le pôle Distribution Bâtiment représente aujourd'hui environ 45 % du chiffre d'affaires du Groupe.

Les années Beffa correspondent également à un développement international accéléré, favorisé par la chute des régimes communistes en Russie et dans les pays de l'Est d'une part et l'ouverture du marché chinois d'autre part. Une direction du développement international est recréée. La présence de Saint-Gobain dans le monde passe de dix-huit à soixante-quatre pays !

Jean-Louis Beffa théorise au fil des années sa pratique de l'industrie, son observation du fonctionnement des entreprises étrangères, allemandes et japonaises en particulier, et affûte de plus en plus sa vision macroéconomique, qu'il dispense dans ses livres, au style assez direct et volontariste. Son credo : être *leader* mondial dans son activité, être diversifié mais rester cohérent, cultiver une certaine indépendance,

miser sur des métiers régionaux pour éviter la concurrence des pays à bas coûts.

Sa satisfaction au moment de passer le témoin : avoir su garder « les morceaux du passé et vu à temps les morceaux du futur ».

PIERRE-ANDRÉ DE CHALENDAR OU LA RÉVOLUTION DE L'HABITAT DURABLE AU SERVICE DU CLIENT

C'est un homme au profil à la fois traditionnel chez Saint-Gobain (ENA-Inspection des Finances) et nouveau (ESSEC), marqué par la culture client, qui succède à Jean-Louis Beffa en 2010. Comme ses deux prédécesseurs, Pierre-André de Chalendar a fait la plus grande partie de sa carrière chez Saint-Gobain (sans passer par la case Pont-à-Mousson néanmoins), où il débute comme directeur du Plan. La direction du Plan permet d'avoir une vision panoramique des choses avant d'aller se confronter au terrain. Saint-Gobain, pendant la présidence de Jean-Louis Beffa, est devenu un vaste empire dont Pierre-André de Chalendar explorera certains nouveaux territoires : États-Unis et Angleterre où, premier délégué général résident, il implante le nouveau métier de la distribution de matériaux de construction.

Le monde de la distribution, c'est celui du client, et Pierre-André de Chalendar instillera cette culture dans les pôles industriels, en créant notamment une direction du marketing. Il a centré la stratégie du Groupe sur l'habitat durable et l'efficacité énergétique, avec la volonté de produire des matériaux à forte valeur ajoutée, tout en poursuivant le développement de l'innovation dans les activités destinées aux marchés industriels : « Tout

Discours de Pierre-André de Chalendar à l'Assemblée générale des actionnaires de 2010.

l'enjeu, dit-il, est de vaincre l'idée selon laquelle l'habitat durable serait une contrainte pour l'usager. En plaçant la recherche de performance thermique sous l'angle du confort, nous montrons au contraire que la maison de demain apportera plus de bien-être. » Par ailleurs, Pierre-André de Chalendar a conscience de l'importance de la révolution digitale au service du client, et il fait de Saint-Gobain une véritable marque qui endosse toutes celles de ses filiales.

Cet homme toujours en mouvement, l'œil mobile, le visage expressif, le verbe franc, a parfois besoin du doute ou de la confrontation pour conforter ses idées. L'immobilité et le silence sont chez lui de mauvais augure. Plus encore que ses prédécesseurs, il sillonne le monde pour partir à la rencontre de ceux qui font Saint-Gobain : ses clients, ses collaborateurs, ses actionnaires. Entre les années 1970 de Roger Martin et aujourd'hui, le temps s'est accéléré et la planète s'est rétrécie.

Le président-directeur général est devenu un nomade, une valise toujours à portée de main. Pierre-André de Chalendar visite chaque année de nombreux sites du Groupe dans le monde entier et en retire beaucoup d'enseignements, sur les activités industrielles ou de distribution bien sûr, mais aussi sur les hommes et sur la manière dont Saint-Gobain s'acclimate à différentes cultures et réciproquement. Il rencontre également régulièrement de nombreux cadres : la stratégie n'a d'avenir que partagée par le plus grand nombre.

Pierre-André de Chalendar.

La salle du conseil
du siège de la place
des Saussaies (1902).

La salle du
conseil du siège
de Neuilly (1971).

Le conseil d'administration de Saint-Gobain (2014). 1er rang de gauche à droite : Olivia Qiu, Sylvia Jay, Pamela Knapp, Pierre-André de Chalendar, Isabelle Bouillot, Agnès Lemarchand, Anne-Marie Idrac. 2e rang : Denis Ranque, Jacques Pestre, Bernard Gautier, Jean-Martin Folz, Frédéric Lemoine, Gilles Schnepp, Jean-Dominique Senard, Philippe Varin, Gérard Mestrallet.

LE CONSEIL D'ADMINISTRATION

Jusqu'en 1827 et surtout jusqu'aux statuts de la société anonyme de 1830, il n'y a pas de président, autrement dit pas d'échelon intermédiaire entre le conseil d'administration et les directeurs des usines, qui sont maîtres en leur royaume mais soumis à des inspections et à des rapports très fréquents. Alors que le conseil d'administration tient aujourd'hui sept séances ordinaires par an, examine les orientations stratégiques, le budget ainsi que tout projet d'investissement ou de cession supérieur à 150 millions d'euros, celui du XIXe siècle avait un rôle bien différent. Il se réunissait deux fois par semaine (encore dans les années 1920) pour examiner dans le détail la bonne marche des affaires. Le conseil nommait les agents opérationnels, les contrôlait, les révoquait. Il fixait également les prix et les remises. Les administrateurs allaient régulièrement inspecter les usines et pouvaient à cette occasion régler les cas personnels. Pour faire partie du conseil, il était évidemment nécessaire de détenir des actions (5 au minimum seulement soit 0,4 % du capital), de faire partie des « familles Saint-Gobain » (cooptation) et d'avoir des compétences scientifiques (tel Gay-Lussac) ou juridiques.

Le conseil actuel de Saint-Gobain, au-delà des compétences qui sont fixées par la loi (arrêté des comptes, convocation des assemblées d'actionnaires et préparation des résolutions soumises aux votes) a un vrai rôle stratégique. Il est composé de seize membres dont huit administrateurs indépendants et un administrateur représentant les salariés actionnaires. L'assemblée générale de 2014 a validé l'entrée au conseil de deux administrateurs représentant les salariés du Groupe.

Le conseil d'administration se déplace régulièrement sur le terrain. Ici, dans la carrière de gypse et l'usine d'East Leake en Angleterre (2014).

« LE CONSEIL SE RÉUNISSAIT DEUX FOIS PAR SEMAINE (ENCORE DANS LES ANNÉES 1920) POUR EXAMINER DANS LE DÉTAIL LA BONNE MARCHE DES AFFAIRES. LE CONSEIL NOMMAIT LES AGENTS OPÉRATIONNELS, LES CONTRÔLAIT, LES RÉVOQUAIT. IL FIXAIT ÉGALEMENT LES PRIX ET LES REMISES. LES ADMINISTRATEURS ALLAIENT RÉGULIÈREMENT INSPECTER LES USINES ET POUVAIENT À CETTE OCCASION RÉGLER LES CAS PERSONNELS. »

L'ÉQUIPE DE DIRECTION

Au xixᵉ siècle, le président a souvent un rôle honorifique, auquel échapperont certaines personnalités marquantes, et le pouvoir appartient véritablement au conseil d'administration qui le nomme, ainsi que le vice-président. Les statuts de la première société anonyme de 1830 indiquent clairement : « La gestion des affaires de la Société est confiée à un conseil composé de sept membres ». Cette dimension collégiale est essentielle chez Saint-Gobain, qui ne cultive pas la culture du chef.

Il faut attendre les années 1930 pour voir la création d'un comité

> « LES STATUTS DE LA PREMIÈRE SOCIÉTÉ ANONYME DE 1830 INDIQUENT CLAIREMENT : "LA GESTION DES AFFAIRES DE LA SOCIÉTÉ EST CONFIÉE À UN CONSEIL COMPOSÉ DE SEPT MEMBRES". »

L'équipe de direction de Jean-Louis Beffa (1986).

de direction scindé alors en deux : comité de direction des affaires verrières et comité de direction des produits chimiques, qui se réunissaient chaque semaine.

Après la fusion de Saint-Gobain et de Pont-à-Mousson en 1970, Roger Martin réorganise le Groupe et ses instances de direction. Toutes sortes de réunions sont instituées : réunions de travail, comités permanents, réunions d'information dites « courrier », séminaires de Ménars… Les réunions de direction générale sont très resserrées. Sont surtout mises en place à partir de 1975 les « réunions des quatorze », qui réunissent une fois par mois les direc-teurs des directions fonctionnelles et ceux des grands départements industriels.

Comme par le passé, le comité de direction générale actuel, qui se tient chaque mois, réunit le président-directeur général, les grands directeurs fonctionnels et les présidents des quatre pôles industriels ainsi que deux délégués. Ce comité fait un point sur la santé et la sécurité au travail, examine les résultats financiers, évoque l'actualité des pôles. Ces réunions permettent aussi aux membres de la direction générale, qui passent une grande part de leur temps à sillonner le monde, de se retrouver à dates fixes.

L'équipe de direction actuelle. De gauche à droite : Jean-Claude Breffort, Jean-Pierre Floris, John Crowe, Peter Hindle, Laurent Guillot, Didier Roux, Patrick Dupin, Benoît Bazin, Pierre-André de Chalendar, Claire Pedini, Antoine Vignial, Claude Imauven, Jean-François Phelizon, Benoit d'Iribarne.

Pierre Delaunay-Deslandes, directeur de la manufacture des glaces de Saint-Gobain dans la deuxième moitié du XVIIIᵉ siècle.

DIRECTEURS D'USINE

Pierre Delaunay-Deslandes, qui dirige la manufacture des glaces à Saint-Gobain de 1758 à 1789, est un exemple intéressant du directeur d'Ancien Régime. Sa formation nous est mal connue mais son goût pour la science et pour l'observation, ainsi que sa direction ferme mais attentive des hommes et des choses, vont permettre d'augmenter considérablement la productivité de la manufacture.

Au XIXᵉ siècle, la figure de l'ingénieur est très prestigieuse. On trouve des polytechniciens dans la branche chimie de Saint-Gobain qui se développe à partir des années 1830, des centraliens dans la branche verrière. Au début du XXᵉ siècle, la direction d'usine est vue comme un bâton de maréchal qui n'est plus acquis d'avance pour tous les ingénieurs.

Jusqu'à la création d'un véritable laboratoire central de recherche dans les années 1920, les améliorations dans le fonctionnement et la production reposent essentiellement sur le directeur d'usine, l'ingénieur de fabrication et les contremaîtres et chefs des halles. Cela étant, pas de grande révolution technique jusqu'au début du xxe siècle, c'est-à-dire l'invention de la coulée continue de la glace par Louis Boudin, directeur de l'usine de Saint-Gobain : jusqu'à cette date, si les fours, les matières premières, l'organisation du travail ont progressé, le procédé de fabrication de la glace est toujours peu ou prou le même qu'au xviiie siècle : du verre en fusion versé sur une table métallique sur laquelle est passé un rouleau lamineur.

Thorsten Böllinghaus.

THORSTEN BÖLLINGHAUS, DIRECTEUR DES USINES D'HERZOGENRATH ET DE STOLBERG
Thorsten Böllinghaus, au regard franc et énergique, est assez représentatif de la nouvelle génération de directeurs d'usines, fiers de leur métier, mais qui aspirent à occuper un jour d'autres responsabilités, la direction d'une usine n'étant plus une fin en soi. Armé d'un diplôme d'ingénieur et d'économie, Thorsten Böllinghaus commence sa carrière chez Saint-Gobain, connu pour ses activités verrières sous le nom de VEGLA en Allemagne. Après un apprentissage sur le terrain dans plusieurs usines, à des postes variés, il prend particulièrement jeune, à 38 ans, la direction des usines d'Herzogenrath et de Stolberg (spécialisées dans le vitrage pour le bâtiment et l'automobile) et la responsabilité de 330 personnes réparties sur les deux sites.

La journée d'un directeur d'usine commence tôt et une ligne de verre *float* n'est jamais un long fleuve tranquille. Au cours d'une journée, partagée entre les deux usines distantes de 15 kilomètres, Thorsten Böllinghaus embrasse tous les sujets : EHS (environnement, hygiène, sécurité), domaine dans lequel des améliorations sont apportées tous les jours par les personnels sur le terrain, qualité, production et technique, programmation, relations avec les clients, ressources humaines… Le soir et le week-end, Thorsten Böllinghaus reste joignable à tout moment et peut suivre sur son ordinateur le fonctionnement du four et de la ligne de production. Grandeur et servitude du métier de directeur d'usine.

DENIS PETIT-MAIRE,
EXPERT DE LA DIRECTION TECHNIQUE
INTERNATIONALE

À partir des années 1960, Saint-Gobain s'est doté d'un nouveau procédé révolutionnaire appelé *float*, qui permettait de sortir chaque jour 300 à 400 tonnes de verre plat (« flottant » sur un bain d'étain à la sortie du four), 900 tonnes aujourd'hui, principalement destiné au bâtiment et à l'automobile. Dans les années 1990, des *floats* sont construits hors d'Europe (Mexique, Inde, Chine, Égypte, Colombie...). Se fait alors sentir la nécessité d'avoir une équipe centralisée qui pourra veiller sur

Denis Petit-Maire.

ces installations extrêmement coûteuses (100 millions d'euros environ par *float*). La vingtaine d'experts de la direction technique internationale (DTI), dont Denis Petit-Maire a la responsabilité, connaissent parfaitement les procédés, les risques, les améliorations possibles. Ils passent leur temps à sillonner le monde et les vingt-huit usines dans lesquelles se trouvent les lignes *floats* de Saint-Gobain : il s'agit de donner des conseils pour améliorer le fonctionnement et la performance des différents maillons de la chaîne de production, du four jusqu'à la découpe, du « bout chaud » jusqu'au « bout froid ». Plus rarement, la DTI intervient en cas de problème, l'incident le plus redouté étant la coulée du four, c'est-à-dire la fuite du verre en fusion dans la « cave » ménagée sous le four. Grâce à l'informatique, la DTI peut suivre à distance, en temps réel, chaque ligne *float*.

Cette centralisation n'empêche pas les expertises locales. Les petites améliorations (qui seront mises en œuvre par la DTI ici et là) émanent aussi des opérateurs, conducteurs, ingénieurs qui connaissent parfaitement leur *float*. Ces experts de terrain sont parfois sollicités par la DTI pour prêter main-forte au démarrage d'une nouvelle usine, souvent loin de chez eux. Ils deviennent ainsi parrains et marraines d'une nouvelle ligne.

OUVRIERS D'HIER

Ce qui caractérise la manufacture d'Ancien Régime, c'est son caractère familial et le monde clos qu'elle représente. La manufacture puis l'usine, verrière ou non, est une société régie par ses propres lois, plus ou moins ouverte sur les villages et villes dans lesquels elle est implantée. Les cités ouvrières qui sont construites dès le xviiie siècle s'étendent peu à peu au-delà des murs d'enceinte, mais toute la vie tourne autour de ces usines qui ne s'arrêtent jamais et qui sont le pivot de la vie familiale : au xviiie siècle, la manufacture donne du travail aux hommes comme aux femmes (travail sur les matières premières) et aux enfants (aide dans les halles de coulage). Il existe une hiérarchie bien marquée entre les ouvriers, dont le degré de qualification va alors souvent de pair avec la fidélité à la Compagnie de Saint-Gobain. Au xixe siècle, à Saint-Gobain comme dans d'autres usines, tous les aspects de la vie sont pris en charge : salles d'asiles pour les très jeunes enfants, écoles privées, ouvroirs, écoles d'apprentissage, coopératives ouvrières, médecins, logements pour les familles qui ne sont pas propriétaires et dortoirs pour les ouvriers célibataires, sociétés de musique, de gymnastique, patronages... Cette tendance

*Travailler
en usine (1970)*

est partagée au xixe siècle (voir le familistère de Guise ou l'usine de Pont-à-Mousson), mais Saint-Gobain consent souvent des efforts supplémentaires : la Compagnie anticipe par exemple les lois sur les pensions de retraite et met en place un système complémentaire. Les grandes fêtes qui jalonnent la vie de la Compagnie et de l'usine sont l'occasion de laisser s'exprimer l'esprit de famille, avec parfois des accents paternalistes d'un autre temps : « Et nos ouvriers ! ceux-là même qui sont justement fiers d'assurer par leur propre travail leur destinée et celle de ceux qui leur sont chers, ceux qui ne demandent de nous que justice et affection ; qu'ils nous laissent, ces braves hommes, les appeler aussi les enfants de la famille » (discours du prince de Broglie, 22 octobre 1865).

Au xxe siècle, les modèles se compliquent avec la diversification des activités de Saint-Gobain (jusque-là, deux modèles d'usines seulement : les usines verrières et chimiques), l'arrivée dans de nouveaux pays, l'automatisation et l'informatisation grandissantes. Le reportage *Travailler en usine*, réalisé en 1970 à Vauxrot (usine de bouteilles), est particulièrement instructif : au milieu de la chaleur et du bruit, des ouvriers racontent leur métier. Pour certains, ils l'ont appris très jeunes, sur le tas (au moins trois ans de pratique pour devenir un bon « conducteur »), pour d'autres, ils ont été formés dans les écoles Saint-Gobain, centres d'apprentissage verriers appelés Progobain. Ces centres, créés pendant la seconde guerre mondiale pour faire face à la pénurie d'ouvriers, dispensaient un CAP de mécanicien verrier et un enseignement général de qualité qui rendait parfois possible une ascension sociale. À Vauxrot, malgré la pénibilité du travail et l'inquiétude devant l'intensification des cadences, on ressent chez certains la fierté de leur savoir-faire, qui les rend indispensables.

DOMINIQUE MARCEL, CONTRÔLEUR À L'USINE ISOVER D'ORANGE

Dominique Marcel, CAP de mécanicien-ajusteur en poche, entre en 1994 comme intérimaire à l'usine Isover d'Orange, qui emploie 260 personnes et produit 120 000 tonnes de laine de verre chaque année. Formé sur le terrain, Dominique Marcel réussit les tests pour devenir contrôleur qualité, métier qu'il aime et pratique depuis douze ans. Les contrôleurs sont répartis au sein de cinq équipes postées qui vont se relayer 24 heures sur 24, 365 jours sur 365 pour réaliser des prélèvements et des tests (mécaniques, thermiques, résistance...)

Contrôle des glaces à l'usine d'Herzogenrath en Allemagne (1962).

sur les produits des deux lignes de fabrication. Les femmes ont fait leur entrée sur les lignes de production, encore timidement mais leur présence ne semble plus étrange. Dominique Marcel a d'ailleurs une femme dans son équipe, qu'il a formée, étant également tuteur de formation. Si Dominique Marcel ne voit pas beaucoup ses collègues qui travaillent dans les bureaux, une centaine de personnes chargées de la comptabilité, l'informatique, la logistique…, il croise souvent en revanche le directeur qui fait le tour de l'usine, parfois au petit matin, et le directeur des ressources humaines. La sécurité est le cheval de

> « CE FOUR, DOMINIQUE MARCEL, QUI EST AU BOUT DE LA CHAÎNE, LE BOUT DIT "FROID", LE VOIT DE TEMPS EN TEMPS. »

Dominique Marcel.

bataille des directeurs successifs de l'usine. Le WCM (voir *Les Mots*) commence à être mis en pratique.

L'usine, si vaste, n'est évidemment ni climatisée ni chauffée. Il peut y faire chaud en été, froid en hiver, sauf du côté du four. Ce four, Dominique Marcel, qui est au bout de la chaîne, le bout dit « froid », le voit de temps en temps. Comme pompier volontaire de l'usine, il lui est également arrivé d'intervenir dans cette zone. Dominique Marcel a vu des progrès ces dernières années sur les machines ou les espaces, qui améliorent les conditions de travail. Son travail n'est pas toujours facile mais il ne souffre pas des heures de nuit, qui se font dans une ambiance particulière, avec de petits effectifs et un sentiment de liberté plus grand. Dominique Marcel a plusieurs collègues dont le père travaillait à l'usine. Aujourd'hui, la recommandation familiale ne joue plus. Seules les compétences comptent.

Dépôt Point.P à Paris dans les années 1980.

TRAVAILLER POUR POINT.P

1996, avec l'acquisition du Groupe Poliet, est l'année de la révolution pour Saint-Gobain, fleuron industriel qui découvre une nouvelle planète : celle du négoce de matériaux de construction. Du côté de Poliet, c'est l'enthousiasme qui s'exprime notamment par une très forte adhésion au plan d'épargne du Groupe ! Du côté de Saint-Gobain, c'est une certaine méfiance face à ces métiers complètement étrangers aux industriels.

Fondé en 1901, Poliet et Chausson est, à l'origine, un fabricant et un négociant en chaux, ciment et plâtre de la région parisienne. Devenu l'un des principaux cimentiers français dans l'entre-deux-guerres, il se réoriente à partir des années 1970 vers la distribution de matériaux de construction par l'intermédiaire de nouvelles acquisitions (Lapeyre en 1975) et de créations d'enseignes, comme Point.P en 1979. Dans les années 1980, les agences Point.P étaient moins séduisantes et moins nombreuses qu'aujourd'hui

(200 points de vente alors, 2000 en 2015) mais davantage de monde y travaillait. La plupart de l'activité se passait dans la cour, où il n'y avait pas encore beaucoup de moyens de manutention. Les agences vivaient dans une grande autonomie et faisaient face à une concurrence locale. Point.P était pionnier, avec son programme de fidélisation des clients et les célèbres croisières organisées pour les meilleurs d'entre eux qui, pour beaucoup, n'avaient alors jamais quitté la France.

Aujourd'hui, le réseau Point.P couvre tout le territoire. Saint-Gobain a apporté, depuis le rachat de 1996, une culture commune, des moyens pour acheter des enseignes hors de France (4 400 points de vente dans 27 pays aujourd'hui), des standards de sécurité draconiens qui ont permis de diviser par sept le nombre d'accidents en dix ans.

Les trois piliers du négoce restent la logistique, l'informatique, les salariés. Le point fort de toutes les enseignes de distribution, en France comme à l'étranger, est la culture du client et le sens du service. Tout repose sur les hommes : magasiniers-vendeurs, appelés « premières lignes », attachés technico-commerciaux qui vont voir les clients sur les chantiers, chefs d'agence qui motivent sans cesse leurs équipes. La promotion interne est une marque de fabrique, en particulier dans les enseignes anglo-saxonnes, où l'on voit des parcours particulièrement remarquables de vendeurs devenus cadres dirigeants.

ARNAUD CATTENOZ, MAGASINIER LEADER CHEZ POINT.P

Arnaud Cattenoz a commencé sa vie professionnelle chez Point.P, en alternance, du temps où l'enseigne appartenait encore au groupe Poliet. L'agence de Nanterre, où il a fait ses premières armes et où il est revenu récemment, fait partie des grosses agences de vente de matériaux de construction de l'Ile-de-France : 50 employés, jusqu'à 300 clients par jour, principalement de petits entrepreneurs, beaucoup de rencontres… pour lui en particulier qui travaille essentiellement dans la cour. C'est en effet le lieu stratégique où l'on accueille les fournisseurs, où l'on charge les camionnettes des clients et les camions qui iront livrer les chantiers. La journée commence souvent tôt car l'agence ouvre à 6 h 30, et il n'y a pas de temps mort. Des liens se créent assez rapidement avec les clients, dont beaucoup viennent régulièrement, plusieurs fois par jour pour certains, chercher matériaux et matériel. De même, les salariés de l'agence se connaissent bien : magasiniers, vendeurs, chef de cour, responsables commerciaux, chauffeurs, chef d'agence… Celui-ci passe beaucoup de temps au contact des équipes et tutoie tout le monde. Dans une agence, la hiérarchie est peu marquée et l'esprit d'équipe est la condition de la réussite. Arnaud Cattenoz a connu sa femme (qui a gravi tous les échelons pour devenir chef d'agence) chez Point.P. Les

Arnaud Cattenoz.

« mariages Point.P » ne sont pas si rares. Si son travail est parfois assez sportif et la plupart du temps au grand air, Arnaud Cattenoz apprécie l'absence de routine et les nombreux contacts humains. La météo est suivie attentivement car elle influe directement sur le chiffre d'affaires : la neige annonce souvent une petite journée. Tous les salariés sont intéressés au résultat et veulent atteindre les objectifs qui sont donnés en réunion, chaque mois. Le Groupe Saint-Gobain est à la fois lointain (un univers industriel mal connu, appartenant au CAC 40) et proche par ses valeurs très humaines et sa vision de long terme.

SAINT-GOBAIN ET LE SYNDICALISME

L'histoire de Saint-Gobain n'est pas marquée par de grandes luttes syndicales. Au XIXe siècle, les conflits surgissaient plutôt dans les usines chimiques (caractérisées par une main-d'œuvre peu qualifiée et la pénibilité du travail) que dans les usines verrières où, de manière générale, l'outil de travail est toujours respecté. Chacun sait le prix d'un four et des installations techniques qui se perfectionnent au fil du temps. Les conflits les plus durs dans les usines verrières peuvent voir la mise en veilleuse du four avec arrêt de la coulée (« mise en épingles » selon l'expression utilisée à Chantereine), mais les installations ne sont jamais endommagées.

La véritable implantation syndicale ne commence qu'en 1936 même si les usines en grève cette année-là sont très rares. Dans l'usine de Vauxrot de 1970, tous les ouvriers sont syndiqués et la lutte du moment porte sur la mensualisation des salaires. On note chez certains un sentiment paradoxal : fierté certaine de travailler sur des machines complexes et dangereuses qu'on sait dompter, confiance dans l'entreprise qui ne licencie pas sauf faute très grave, mais conditions de travail jugées pénibles, salaires vus comme insuffisants si l'on ne peut travailler quelques dimanches ou jours fériés. Si le climat social paraît plutôt bon, si la liberté syndicale est complètement respectée, les discussions avec la direction sont parfois difficiles et la grève apparaît comme l'arme ultime. À Chantereine, dans les années 1970, l'automatisation et l'informatisation qui commence sont vues comme un danger : disparition possible d'emplois et substitution d'un travail opérationnel par un travail de contrôle et surveillance.

LYDIE CORTES, SECRÉTAIRE DE LA CONVENTION POUR LE DIALOGUE SOCIAL

Chez Saint-Gobain, le dialogue social se pratique à différents niveaux et des centaines d'accords sont signés chaque année. Lydie Cortes, entrée en 1992 chez Weber et Broutin (qui

Télégramme adressé aux administrateurs de la Manufacture annonçant la grève des doucisseurs polisseurs de Chauny (1872).

Télex des travailleurs de l'usine ISOVER d'Orange adressé à la direction générale de Saint-Gobain (1976).

```
GOBAI A 620585F
142 1201
GOBAIN 431543F

A L'ATTENTION DE M. BOUTIER - DIRECTIO GENERALE - NEUILLY

ORANGE LE 21 MAI 1976

LES TRAVAILLEURS D'ORANGE OCCUPENT LES LOCAUX DE LA DIRECTION
EXIGENT L'OUVERTURE IMMEDIATE DE NEGOCIATIONS SUR LES SALAIRES
ET SUR LEURS REVENDICATIONS GENERALES.

LES TRAVAILLEURS D'ORANGE ATTENDENT UNE REPONSE IMMEDIATE PAR
TELEX NO TX 431543.

SIGNE : LES TRAVAILLEURS D'ORANGE

GOBAI A 620585F
GOBAIN 431
```

Lydie Cortes.

appartenait alors au groupe Poliet) comme technicienne Recherche & Développement, a commencé par être élue au comité d'entreprise de son entité. Elle devient ensuite déléguée syndicale centrale pour Saint-Gobain Weber France puis entre en 2007 dans les instances de dialogue du Groupe. Certaines de ces instances, comme la Convention pour le dialogue social, ont été créées en 1992 avant les obligations légales. La Convention rassemble une fois par an 70 participants issus d'une cinquantaine d'organisations syndicales de tous les pays européens de Saint-Gobain, qui peuvent dialoguer avec le président du Groupe sur des questions d'intérêt général. Un comité restreint de 9 membres, émanant de la Convention pour le dialogue social et mis en place il y a quelques années, permet de faire travailler ensemble les représentants des délégations européennes de Saint-Gobain de manière plus régulière et plus souple,

L'automatisation à Chantereine (1970).

en faisant davantage abstraction des appartenances syndicales. Des problèmes précis et des sujets d'actualité y sont abordés avec les directeurs concernés. Par ailleurs, des groupes de travail réunissant plusieurs organisations syndicales peuvent se constituer spontanément, sur des sujets de préoccupation communs.

Une instance particulière existe par ailleurs pour la France, le Comité de groupe (créé en 1983), qui aborde des questions d'ordre stratégique en présence du président et des questions sociales.

Dans toutes ces instances, les relations entre partenaires sociaux sont bonnes et fructueuses même si les différences culturelles et réglementaires des pays peuvent parfois être un frein sur certains sujets. De même, le dialogue avec la direction de Saint-Gobain est jugé loyal. Il se déroule dans la transparence mais il reste à un niveau assez général, puisque les sujets précis sont traités dans chacune des entités du Groupe. Pour Lydie Cortes, outre les sujets d'actualité, les préoccupations actuelles des organisations syndicales sont l'emploi, les conditions de travail, la sécurité, qui a beaucoup progressé, et la santé qui est évoquée depuis quelques années.

Sur le plan local, le dialogue social dans les nombreuses entités de Saint-Gobain peut être très variable d'un site à l'autre suivant le contexte, les hommes, l'histoire, les enjeux…

LOUIS LUCAS DE NEHOU, DIRECTEUR-CHERCHEUR

Louis Lucas de Nehou était le neveu de Richard Lucas de Nehou, qui avait fait l'apport de sa verrerie de Tourlaville (dans le Cotentin) à la Manufacture des glaces en 1667. Les Lucas de Nehou, grâce à leur savoir-faire empirique transmis de génération en génération, cherchaient sans cesse à améliorer les procédés ou l'organisation de leur manufacture. À Tourlaville, les fabrications étaient de grande qualité et on y pratiquait le soufflage en manchon.

Louis Lucas de Nehou est à l'origine d'un nouveau procédé de fabrication de la glace qui permet d'augmenter la taille des miroirs et d'en améliorer la qualité. Le verre n'est plus soufflé par un homme mais coulé sur une table métallique et laminé. Le procédé fut perfectionné à l'abri des regards indiscrets sur le site de la manufacture de Saint-Gobain, que Lucas de Nehou dirigea de 1692 à 1696 et de 1711 à 1728.

Louis Lucas de Nehou est le type même du « directeur-chercheur » qu'on retrouve à différentes périodes de l'histoire de la Manufacture. Le terrain de la recherche a en effet été longtemps celui de l'usine. Les ingénieurs dans les usines verrières et de grands chimistes, comme Gay-Lussac ou Edme Frémy dans les usines de produits chimiques, perfectionnaient sur le terrain procédés et produits.

Louis Lucas de Nehou, inventeur du nouveau procédé de coulée en table à la fin du XVIIe siècle.

ANNE HARDY, DIRECTRICE DU CENTRE DE RECHERCHE DE NORTHBORO

Anne Hardy dirige l'un des sept grands centres de recherche de Saint-Gobain : Northboro Research and Development Center, situé près de Boston, aux États-Unis. Quand elle y est entrée en 1992, le centre, hérité de Norton et spécialisé depuis sa création en 1985 dans les céramiques, comptait environ 100 chercheurs. Avec les années, il s'est développé (350 personnes aujourd'hui) et a diversifié son recrutement et ses axes de recherche pour répondre à l'évolution du Groupe (abrasifs, céramiques, pile à combustible, polymères, recherches pour CertainTeed...). Chaque centre

Anne Hardy

de recherche de Saint-Gobain a ses domaines de compétence et sa propre ambiance. Northboro, pour Anne Hardy, se reconnaît à son mélange unique : 30 nationalités (les trois premières nations représentées, hors les États-Unis, étant la Chine, l'Inde et la France), l'enthousiasme et l'énergie qui y sont palpables et une *touch of French culture* prédominante ! Diversité culturelle mais aussi diversité de genre puisqu'Anne Hardy a l'ambition d'augmenter la part des femmes dans les effectifs (près de 35 % aujourd'hui). Comme ses homologues des autres centres, elle souhaite également encourager les directeurs d'activités à embaucher dans leurs équipes des chercheurs qui souhaitent évoluer après quelques

années au service de la R&D. Avec ses 3 700 salariés, celle-ci constitue en effet un véritable vivier de talents.

Après s'être ouverte en interne, la recherche s'est aussi beaucoup ouverte sur le monde universitaire et celui des start-ups. Anne Hardy note avec satisfaction que le nom de Saint-Gobain est aujourd'hui beaucoup plus connu des étudiants américains, qui, il y a quelques années, prenaient Saint-Gobain pour une organisation religieuse !

La recherche s'est également davantage intéressée aux besoins des clients en favorisant les co-développements et en lançant des programmes de compréhension de l'utilisateur final, avec lequel le secteur industriel de Saint-Gobain avait traditionnellement peu de contacts directs.

La recherche de Saint-Gobain travaille étroitement avec le marketing : on ne cherche pas pour le plaisir de chercher et de trouver mais pour répondre à une demande ou pour anticiper celle-ci.

Cette politique de recherche, à laquelle Saint-Gobain consacre chaque année environ 440 millions d'euros, a aujourd'hui pour résultat un renouvellement important du portefeuille de produits : un produit sur quatre a été développé au cours des cinq dernières années. Au-delà de l'amélioration de produits existants ou de la création de produits nouveaux, la recherche permet aussi de continuer de perfectionner les procédés, notamment les fours et la combustion.

Portrait de Madame Geoffrin (1699-1777) par Jean-Marc Nattier (vers 1738).

MADAME GEOFFRIN, ACTIONNAIRE DE LA MANUFACTURE DES GLACES

La Manufacture des glaces est fondée en 1665 avec des capitaux privés mais elle bénéficie d'un monopole et d'exemptions fiscales. Le capital, composé de 288 parts appelées deniers, est réparti entre des actionnaires qui se multiplient au fil du temps (19 en 1702, 70 au cours des années 1780). Madame Geoffrin, qui a hérité avec sa fille les deniers de son mari, François Geoffrin, « caissier » de la Compagnie, occupe indirectement une place importante dans la direction des affaires. Grâce à son célèbre salon, elle met tout son entregent au service de la Manufacture, au moment du renouvellement du privi-

lège en 1757. Elle est représentative de ces actionnaires, peu nombreux, des xviiie et xixe siècles pour qui la Manufacture représente une partie significative de leur patrimoine.

Au xixe siècle, la Manufacture des glaces cultive son indépendance : pas d'endettement, pas d'augmentations de capital. Les bénéfices non distribués sont réinvestis. En 1872, la Manufacture compte 540 actionnaires. Ce nombre atteint 50 000 à la fin des années 1930. Entre-temps, Saint-Gobain est coté à la Bourse de Paris en 1902, après quelques cotations de plus en plus régulières dans les années 1880 et 1890.

Saint-Gobain représentait alors une valeur sûre, une sorte de mythe industriel doté d'une image « vieille France » rassurante : on achète ou on reçoit par héritage des actions Saint-Gobain qu'on ne vend pas.

BRIGITTE VASSILLE, ACTIONNAIRE DE SAINT-GOBAIN

Après le traumatisme de la nationalisation de 1982, la privatisation de 1986 est un grand succès : 20 millions d'actions trouvent preneurs et le personnel, salariés ou retraités, prend 6 % des actions ! La direction de Saint-Gobain déclare : « Dans le bas de laine des Français d'aujourd'hui, on trouve des actions Saint-Gobain. »

Comme des milliers de personnes, Brigitte Vassille achète ses premières actions au moment de la privatisation. Elle a alors trente-deux ans et son intérêt pour la vie économique l'a décidée à participer modestement au destin de ces grands groupes industriels dont elle suit l'actualité. Elle a choisi, outre Saint-Gobain, Elf et Air Liquide, des valeurs sûres. Elle n'a pas à l'époque une idée très précise de ce qu'est Saint-Gobain mais cette maison lui semble rassurante. Elle lui est depuis toujours restée fidèle et participe volontiers aux assemblées générales d'actionnaires, qu'elle décrit comme « classiques et de bon ton », une fête aussi, qui permettent de connaître un peu les dirigeants de l'entreprise. Le fait que les collaborateurs de Saint-Gobain détiennent une part significative du capital lui semble une bonne chose : une manière de démocratiser la possession d'actions et d'intéresser les salariés aux résultats de l'entreprise. Brigitte Vassille reconnaît à Saint-Gobain une communication aussi soignée envers ses petits actionnaires (qui détiennent aujourd'hui 7,5 % du capital) qu'envers les grands investisseurs (70 % environ du capital, sans compter les 12 % détenus par Wendel). Saint-Gobain anime depuis 2010 un club d'actionnaires : les membres reçoivent des informations sur le Groupe, peuvent visiter

Brigitte Vassille.

Les actionnaires de Saint-Gobain privatisé (1987).

des sites et participer à l'école de la bourse. Sont aussi organisées régulièrement à Paris et dans les régions des réunions d'actionnaires individuels où il n'est pas rare de croiser des petits porteurs qui détiennent leurs actions depuis 1986 et sont pour beaucoup de fins connaisseurs des activités industrielles et des produits de Saint-Gobain.

MADAME DE POMPADOUR, CLIENTE DE LA MANUFACTURE

La marquise de Pompadour (1721-1764) est sans doute l'une des plus célèbres clientes de la Manufacture des glaces. Elle a aussi d'autres liens, plus indirects, avec l'histoire de Saint-Gobain. Favorite de Louis XV, sœur du marquis de Marigny qu'elle a fait nommer surintendant des bâtiments, arts, jardins et manufactures, la marquise de Pompadour acquiert de nombreux hôtels particuliers et propriétés qui seront ornés de glaces de la Manufacture, acquises à bon prix grâce au « tarif du roi » (remise attribuée au roi et à quelques clients prestigieux) dont elle bénéficie.

Portrait de la marquise de Pompadour (1722-1764), par l'atelier de Nattier (1748).

Femme d'affaires avisée, elle achète aussi au pied du château de Bellevue, à Meudon, une verrerie qui fabriquait cristaux, émaux, verre à vitres, bouteilles… mais pas de glaces, naturellement, monopole de la Manufacture oblige ! Au titre de ses fonctions, son frère, le marquis de Marigny, exerce une tutelle sur la Manufacture des glaces, et les bonnes relations entretenues par Madame Geoffrin, actionnaire de la Manufacture, avec Marigny et sa sœur vont être bien utiles au moment délicat du renouvellement du privilège par le pouvoir, en 1757.

En 1760, Madame de Pompadour acquiert le château de Ménars, près de Blois, qu'elle embellit considérablement en faisant appel aux architectes Gabriel et Soufflot. Bien des années plus tard, en 1939, Saint-Gobain se porte acquéreur du château de Ménars pour en faire une position de repli pendant la guerre. Ménars accueille ensuite des colonies de vacances, abrite une partie des archives de Saint-Gobain et devient un centre de formation et de séminaires. Beaucoup de réunions importantes s'y tiennent sous la présidence de Roger Martin (1970-1980). Les collaborateurs de Saint-Gobain qui ont connu Ménars s'en souviennent avec une certaine nostalgie. Le château fut vendu en 1983, pendant la période de nationalisation.

DENIS VALODE, ARCHITECTE

Denis Valode a fondé en 1980 son agence avec Jean Pistre. La durabilité, qui est au cœur de la stratégie de Saint-Gobain, est un thème qui les intéresse depuis longtemps. Leur agence d'architecture est associée à des travaux de recherche fondamentale sur un habitat densifié et entièrement autonome. La densification est pour Denis Valode un enjeu majeur : densifier les villes pour arrêter de mordre sur des espaces naturels ou agricoles, rapprocher lieux de vie et lieux de travail pour favoriser les transports en commun. Pour Denis Valode, l'architecte doit « faire naître un bâtiment là où il doit être », en le rendant parfaitement adapté à son environnement et économe en énergie. Il prône également une architecture de l'émotion, sensorielle, très proche du concept multi-confort de Saint-Gobain : un habitat doit être une expérience pour tous les sens. Denis Valode, qui utilise régulièrement des produits Saint-Gobain pour ses projets, est intéressé par les matériaux les plus spectaculaires comme les plus courants, qui permettent aussi de faire des choses innovantes. Il est très fier d'avoir remporté le concours pour la construction de la future tour Saint-Gobain à La Défense (voir *Les Lieux*). Il a une prédilection pour la conception des lieux de travail, qui doivent susciter confort, émotion, rencontres, et son

Denis Valode.

agence a remporté l'Équerre d'argent pour une usine, une première pour cette haute distinction. Denis Valode aime volontiers citer Paul Valéry, pour qui trois types d'édifices existent : ceux qui sont muets, ceux qui parlent et, beaucoup plus rares, ceux qui chantent. C'est une tour chantante que Denis Valode veut réaliser pour Saint-Gobain avec de forts enjeux symboliques : construire le siège social d'une entreprise phare dans le monde de la construction, avec un passé et des réalisations remarquables…

JEAN-PIERRE MAZEAU, SENIOR VICE PRESIDENT SCIENCE ET TECHNOLOGIE DE CORNING

Jean-Pierre Mazeau, physicien de formation, titulaire d'un doctorat en sciences des matériaux, travaille depuis 39 ans à Corning, grande entreprise américaine de verres spéciaux et céramiques industrielles. Il a commencé sa carrière en France dans le laboratoire d'une société qui avait été commune à Corning et Saint-Gobain. Celle-ci avait permis à Corning de se développer hors des États-Unis dans les années 1920 en produisant et commercialisant avec Saint-Gobain le verre Pyrex. Plus tard, Saint-Gobain et Corning avaient fabriqué ensemble des ampoules en verre pour les tubes cathodiques, à l'époque où la télévision prenait son essor.

Jean-Pierre Mazeau a également participé à l'aventure EuroKera depuis le début, une joint-venture qui perdure entre Saint-Gobain et Corning autour des plaques de cuisson en vitrocéramique.

Les relations sont suivies entre les deux sociétés depuis bientôt cent ans. Même si Saint-Gobain et Corning sont très différents (produits, taille, style, histoire), pour Jean-Pierre Mazeau, les deux groupes ont en commun l'innovation (des matériaux comme des procédés) au service des clients, une grande connaissance du verre et des matériaux céramiques, des

Jean-Pierre Mazeau.

valeurs et un fort attachement à leur histoire. Corning comme Saint-Gobain font partie de ces entreprises pour lesquelles on est fier de travailler, souvent pour toute une carrière.

Du haut de ses 164 ans, Corning sait combien, dans le monde globalisé et compétitif d'aujourd'hui, une histoire de 350 ans est remarquable et exemplaire et espère aussi souffler un jour ses 350 bougies…

GUY HERVÉ, ENTREPRENEUR, CLIENT DE POINT.P

Guy Hervé a commencé sa vie professionnelle comme plombier-chauffagiste il y a plus de quarante ans. En 2000, il reprend une petite entreprise familiale de bâtiment dans la région parisienne. Il est un vieux client de Point.P et fréquente aussi Cedeo (sanitaire-chauffage), La Plateforme du Bâtiment dédiée aux professionnels et Lapeyre. Pour lui, le succès de Point.P repose sur les chefs d'agence avec lesquels on a des relations plus ou moins étroites, au point qu'on quitte parfois une agence Point.P pour une autre. Chez Point.P, on n'achète pas que des matériaux ou des outils mais aussi des conseils (notamment en matière d'économies d'énergie) et des services. La Plateforme du Bâtiment a des prix non négociables, contrairement aux agences Point.P, mais elle présente l'intérêt d'avoir tous les produits sur place, ce qui est bien pratique pour un entrepreneur qui a besoin d'un peu de tout. Rares sont les confrères de Guy Hervé qui savent comme lui que Point.P, Cedeo, La Plateforme sont des enseignes de Saint-Gobain. Le rachat par Saint-Gobain n'a pas révolutionné de manière visible les points de vente et les habitudes des clients. Certes, la sécurité est bien plus présente dans les agences qu'autrefois, mais c'est le cas dans le monde du bâtiment en général.

Pour la première fois de sa vie, Guy Hervé va partir en voyage avec

Guy Hervé.

« LA CROISIÈRE POINT.P EST UNE FÊTE DEPUIS TOUJOURS. »

Point.P. La croisière Point.P est une fête depuis toujours : on ne sait pas avec qui on part mais on sait qu'entre clients, on sera vite à l'aise.

> LES PLUS GRANDS NOMS ONT EU RECOURS À LA PETITE USINE DE SAINT-JUST ET À SES VERRES CHATOYANTS : CHAGALL, MIRÓ, LÉGER, ROUAULT, GAROUSTE... SAINT-JUST DISPOSE D'UNE PALETTE DE PLUS DE TROIS CENTS COULEURS. PARMI CELLES-CI, LE "BLEU MATISSE".

MATISSE ET SAINT-GOBAIN :
TROUVER LE JAUNE

L'histoire de Saint-Gobain au xxᵉ siècle est marquée par des rencontres avec des artistes et des maîtres verriers.

La petite usine de Saint-Just, dans le département de la Loire, spécialisée depuis 1865 dans le verre de couleur, produit des verres uniques, soufflés à l'ancienne, pour des œuvres d'art ainsi que des restaurations ou créations de vitraux. Les plus grands noms ont eu recours à ses verres chatoyants : Chagall, Miró, Léger, Rouault, Garouste... Saint-Just dispose d'une palette de plus de trois cents couleurs. Parmi celles-ci, le « bleu Matisse ». Pour la chapelle des dominicaines de Vence, construite par Perret de 1948 à 1951, Matisse, qui était chargé de réaliser des vitraux pour la première fois de sa vie, eut recours à Saint-Just. Ce chantier lui tenait particulièrement à cœur ; il s'agissait, comme dans sa peinture, de travailler la lumière. « Notre jaune est le premier plan, le réel, écrit Matisse, et le bleu et le vert l'espace. » Si le bleu et le vert des vitraux ne posaient pas de difficulté, le jaune demanda des mois de travail aux laboratoires d'Eugène Gentil, alors directeur général des glaceries de Saint-Gobain, avec lequel Matisse était en contact.

Henri Matisse dans la chapelle de Vence (1951).

LES DÉLÉGUÉS : *MISSI DOMINICI* DE SAINT-GOBAIN

Comme les *missi dominici* de Charlemagne devaient rendre la justice, contrôler les officiers royaux, recevoir les serments d'allégeance, éventuellement mener l'armée au combat, les délégués sont les représentants de la Compagnie dans une zone géographique donnée et exercent par délégation des « missions régaliennes ». Ils ont une vision panoramique des activités d'une région du monde, supervisent les dossiers financiers, juridiques, et les ressources humaines dans leur délégation, et assurent un rôle de représentation auprès des autorités politiques, des médias… Ils suivent l'évolution des activités dans leurs développements ou, au contraire, dans leurs restructurations. Certains ont également la responsabilité d'une activité industrielle dans leur délégation.

Les délégations générales sont des institutions assez anciennes,

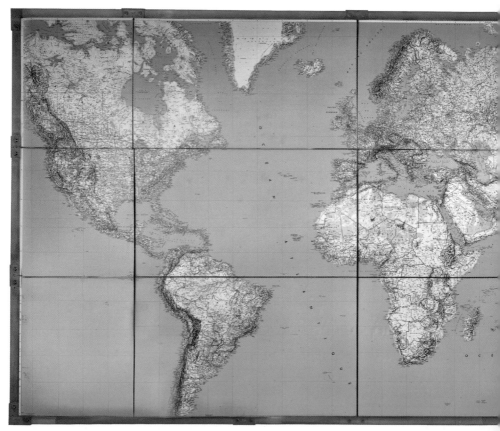

tant chez Saint-Gobain qu'à Pont-à-Mousson. Appelées précédemment groupements, les délégations ont été créées en 1939 pour gérer l'ensemble des établissements et filiales d'un pays. Pour le président du nouveau Groupe issu de la fusion de Saint Gobain et de Pont-à-Mousson en 1970, Roger Martin, qui décide de maintenir les délégations générales, « la mission essentielle des délégués généraux est celle de la présence. Il n'est pas possible de tenir une posi-

tion industrielle importante dans un pays sans y être présent par des hommes disposant d'une autorité et d'un crédit personnel et informés des problèmes de ce pays ». C'est un modèle qui a pu être « exporté » dans d'autres groupes qui ont à la fois de nombreuses implantations dans le monde et de multiples activités, mais qui reste néanmoins assez caractéristique de Saint-Gobain.

En 1970, les délégations étaient au nombre de neuf : Allemagne, Benelux, Brésil, Argentine, Espagne, États-Unis, Italie, Mexique, Venezuela. Au fil des années et de l'expansion internationale de Saint-Gobain, elles se recomposent et se multiplient ; dans certaines, le nom de Saint-Gobain est peu connu, dans d'autres, il jouit d'une certaine aura. Certaines délégations générales disparaissent (par exemple Japon et Scandinavie en 1978) pour mieux renaître de leurs cendres au sein de regroupements géographiques plus larges. Certaines créations répondent naturellement à l'évolution géopolitique et économique : en 1984, création de la délégation Chine ; en 1995, création d'une délégation polonaise quelques années après la chute du régime communiste ; et en 1996, création de celle de la CEI à Moscou.

En 2015, les délégations sont au nombre de treize, recouvrant soixante-quatre pays sur tous les continents, avec à leur tête des hommes aux profils et aux nationalités variés.

Carte du monde couvrant un mur du bureau du président de Saint-Gobain.

Peter Hindle MBE,
délégué pour le
Royaume-Uni, la
République d'Irlande,
l'Afrique du Sud, le
Mozambique,
la Namibie et le
Zimbabwe.

Thierry Lambert,
délégué pour
les pays nordiques
et les pays baltes.

John Crowe,
délégué pour
l'Amérique du Nord.

Dominique Azam,
délégué pour le
Mexique, les pays
d'Amérique centrale, la
Colombie, le Venezuela,
l'Équateur et le Pérou.

Thierry Fournier, délégué
pour le Brésil, l'Argentine
et le Chili.

Ricardo de Ramon Garcia,
délégué pour l'Espagne,
le Portugal, le Maroc,
l'Algérie et la Tunisie.

Hartmut Fischer,
délégué pour
l'Europe centrale.

François-Xavier Moser,
délégué pour la Pologne,
la Roumanie et
la Bulgarie.

Gonzague de Pirey,
délégué pour
la Russie, l'Ukraine,
les pays de la CEI.

Tomas Rosak, délégué
pour la République
tchèque, la Slovaquie,
la Hongrie et la région
de l'Est adriatique.

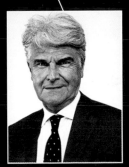

Gianni Scotti,
délégué pour l'Italie,
l'Égypte, la Grèce,
la Turquie et la Libye.

Anand Y. Mahajan,
délégué pour l'Inde,
le Sri Lanka et le
Bangladesh.

Javier Gimeno,
délégué pour
l'Asie-Pacifique.

II.
LES LIEUX

I. LES SIÈGES SOCIAUX : DE LA PLACE DES SAUSSAIES À LA DÉFENSE EN PASSANT PAR NEUILLY

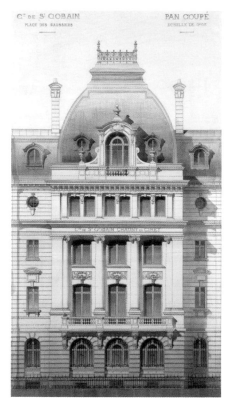

Le siège de la Compagnie de Saint-Gobain à Paris, place des Saussaies (1898).

PLACE DES SAUSSAIES À PARIS

D'abord implanté dans le faubourg Saint-Antoine puis dans le faubourg Saint-Denis et du côté des grands boulevards, Saint-Gobain décide en 1900 de faire construire un nouveau siège au 1 et 1 *bis*, place des Saussaies, dans le centre de Paris. La légende dit qu'au cours de la cérémonie de pose de la première pierre, on enterra dans une boîte en plomb une liste des administrateurs et des directeurs, accompagnée de diverses monnaies au millésime de 1900. Quelques meubles, des documents d'archives et un bel album de photographies nous restent de cette occupation, qui dura soixante ans avant que le ministère de l'Intérieur, mitoyen, ne récupère ces locaux, sur lesquels il avait des vues depuis longtemps.

NEUILLY, CONSTRUIT SUR MESURE POUR SAINT-GOBAIN

Neuilly ou la modernité triomphante, à la Jacques Tati ! Un nouveau siège social, regroupant presque toutes les équipes, est construit à Neuilly de 1957 à 1959 selon la technique des murs-rideaux avec des façades en glaces, au milieu d'un grand parc. Le hall est orné d'un grand vitrail de Max Ingrand. La décoration est confiée à Raymond Subes, Paul Sauvage, Jean Pascaud. Saint-Gobain a consacré à l'époque un bel ouvrage à cette réalisation architecturale. Dans la préface, Arnaud de Vogüé évoque le changement entre la place des Saussaies et Neuilly, symboles de deux époques : « Les hauts-de-forme et les jaquettes sont un lointain souvenir. Nos collaborateurs, pour un bon nombre d'entre eux, se rendent à leur travail tête nue, en auto, et garent leurs véhicules dans

Le siège de Neuilly (1961).

les vastes sous-sols. Les déjeuners sont servis dans un club attrayant ; les bureaux sont tous clairs (bienfait de la Glace !) et largement aérés. (…) Le mobilier est d'acajou, adapté à la fonction de chacun, les machines ont remplacé la plume "Sergent-Major" La vie professionnelle, dans ce cadre nouveau, est devenue aisée et conforme aux tendances actuelles. » Après la fusion de 1970 avec Pont-à-Mousson (PAM), ce siège social jugé un peu trop luxueux sera densifié : « Pourquoi le siège de Neuilly est-il entouré de pelouses ? Pour ne pas entendre l'argent tomber des fenêtres » était une plaisanterie qui circulait volontiers !

LES MIROIRS À LA DÉFENSE

L'arrivée de Saint-Gobain à La Défense se situe dans un contexte d'expansion du nouveau quartier d'affaires lancé dans les années 1960. Sont alors construites à La Défense les tours dites de « troisième génération », moins larges et moins hautes, où le béton s'efface de plus en plus derrière le verre. La tour des Miroirs, construite par Henri La Fonta (qui a réalisé plusieurs immeubles à La Défense dans les années 1980) en est un bon exemple. Elle est équipée de verre Antelio de contrôle solaire sur les façades et de verre laqué à l'intérieur. Les cylindres-fontaines en mosaïque de Deverne ajoutent une touche artistique dans la cour.

Le déménagement de Neuilly vers les Miroirs intervient en novembre 1981 dans un contexte économique de réduction des coûts après les chocs pétroliers.

Le siège de Saint-Gobain à Neuilly en 1963.

Le 25 mai 1984, François Mitterrand se rend aux Miroirs pour saluer le travail réalisé par Saint-Gobain Développement (entité de Saint-Gobain qui aide des PME à créer des emplois dans les régions où des usines de Saint-Gobain sont restructurées). Il y est accueilli par le président Roger Fauroux. Tous les collaborateurs sont associés à cette visite, qui a marqué la vie des Miroirs.

Aujourd'hui, la tour des Miroirs abrite 1 350 collaborateurs répartis entre les étages « Compagnie » et ceux des quatre Pôles (Matériaux innovants, Produits pour la construction, Distribution Bâtiment et Verallia, qui fabrique bouteilles et pots en verre) ainsi que ceux des services support. La décoration des étages est le reflet de ces différents territoires ! Le 13e étage, celui de la direction générale, reste un peu mythique… tout comme le jardin potager au pied de la tour !

Les Miroirs sont à la fois une tour de contrôle, avec des collaborateurs plus ou moins sédentaires, et un tarmac d'aéroport où se croisent les vrais nomades et ceux qui viennent exceptionnellement régler une affaire ou assister à une réunion.

UNE NOUVELLE TOUR SAINT-GOBAIN À LA DÉFENSE

Le siège de Saint-Gobain va déménager en 2019 dans une nouvelle tour, construite spécialement pour le Groupe avec ses matériaux et ses savoir-faire. Cette tour, aussi belle que flexible et économe en énergie, sera construite à La Défense par l'agence Valode & Pistre, qui a remporté le concours d'architectes avec un projet très audacieux et très humain où le bien-être des futurs occupants est primordial. Elle est constituée de trois rhomboèdres, forme géométrique rare et dynamique qui en fait une sculpture de verre et de lumière. Cette audace architecturale est aussi un pari urbanistique. Denis Valode aime La Défense pour son énergie, mais il veut contribuer à repenser l'espace public pour faire rimer urbanisme avec urbanité. C'est pourquoi son projet consiste aussi à faire du boulevard circulaire un lieu plus agréable, avec des piétons, des vélos et des arbres. La nature sera également au cœur de la tour, avec des jardins à tous les étages et beaucoup de points de rencontre pour favoriser convivialité et créativité.

De nuit, la future tour Saint-Gobain, marquée par sa morphologie élancée et inclinée, accueillante et bienveillante, pourrait devenir le génie tutélaire de La Défense.

Tour des Miroirs à La Défense, siège de Saint-Gobain depuis 1981.

Le futur siège de Saint-Gobain à La Défense
(agence Valode & Pistre).

LE CENTRE D'ARCHIVES DE BLOIS
OU LA MAISON COMMUNE

Saint-Gobain fut aussi pionnier dans le domaine des archives d'entreprise avec son centre dédié, considéré depuis les années 1980 comme un modèle.

Après la fusion de 1970 entre Saint-Gobain et Pont-à-Mousson, les archives du nouveau Groupe se trouvaient dispersées entre le château d'Ars (pour Pont-à-Mousson) et Neuilly et le château de Ménars (pour Saint-Gobain) ainsi que de nombreux sites. Roger Martin recrute un jeune chartiste, Maurice Hamon, pour mettre sur pied un centre d'archives unique et moderne. Il avait bien compris que les archives étaient également un des moyens de favoriser une culture d'entreprise commune à deux entités que tout séparait.

Le centre d'archives de Blois est inauguré en décembre 1979. Il

conserve les archives historiques, des célèbres lettres patentes de création de la Manufacture des glaces par Louis XIV en 1665 jusqu'aux films et photographies, matériaux, documents les plus récents... Sont également conservées 80 kilomètres d'archives dites « intermédiaires » dans le jargon des professionnels, c'est-à-dire celles que l'entreprise est tenue légalement de conserver pour une durée déterminée ou illimitée.

Au-delà de la gestion courante des archives, le centre de Blois est animé par une véritable politique de mémoire et de collecte de toutes les traces de l'activité de Saint-Gobain, y compris les plus périssables (on pense aux catalogues publicitaires par exemple).

Il est aussi l'une des « maisons communes » de Saint-Gobain où les collaborateurs du Groupe peuvent se retrouver pour des réunions mais surtout pour découvrir leur histoire.

Le centre d'archives de Saint-Gobain à Blois.

LE CENTRE DE RECHERCHE
DE LA VILLETTE (PARIS)

Il faut attendre les années 1920 pour voir émerger de véritables centres de recherche, que ce soit à Saint-Gobain (au siège de la place des Saussaies et à Aubervilliers) mais aussi dans des entreprises comme Pont-à-Mousson ou Poliet, dont le destin rejoindra celui de Saint-Gobain bien plus tard. Ces laboratoires vont se multiplier pour se spécialiser : laboratoires dédiés au verre, à la chimie, à certains produits comme la laine de verre...

Après la seconde guerre mondiale, en même temps que celui de La Croix-de-Berny, dédié à la chimie, est créé le centre de recherche de La Villette (52, boulevard de la Villette à Paris) pour le verre, sous la direction d'Ivan Peychès. Le bâtiment, conçu par René Coulon pour 150 personnes, ressemble à un paquebot, pensé dans les moindres détails : « La couleur des peintures est généralement choisie en fonction de la destination des salles (couleurs dynamiques ou psychotechniques) de manière à y créer un certain

Un des laboratoires du centre de recherche de La Villette (1953).

climat (…) dans le bureau d'étude : bleu clair et bleu charron – climat de calme et de pondération », écrit Ivan Peychès. Une partie du mobilier était signée Prouvé et l'art n'était pas oublié, avec quelques œuvres choisies des verriers Max Ingrand et Robert Pansart ainsi qu'un groupe en verre d'Henri Navarre intitulé *L'Esprit se penchant sur la Matière* !

Saint-Gobain vend ce centre de recherche au début des années 70 pour regrouper à Aubervilliers les équipes de La Villette et de La Croix-de-Berny.

LE CENTRE DE RECHERCHE DE SHANGHAI

Le centre de recherche de Shanghai est l'un des plus récents de Saint-Gobain, qui compte sept grands centres dans le monde. Ce centre, dont la transversalité est très marquée, travaille sur les matériaux haute performance, le vitrage, la canalisation, les produits pour la construction, toutes activités du Groupe qui ont des implantations en Asie. Par ailleurs, il a la particularité de fonctionner quelquefois en trois-huit, comme les usines ! Le centre emploie aujourd'hui environ 250 personnes.

Le centre de recherche de Saint-Gobain à Shanghai.

Le DomoLab de Saint-Gobain à Aubervilliers.

« LE DOMOLAB OFFRE UN PARCOURS DE VISITE AVEC DES EXPÉRIENCES SENSORIELLES AUTOUR DE MATÉRIAUX SAINT-GOBAIN : ON PÉNÈTRE NOTAMMENT DANS UNE FORÊT SONORE OU UN IGLOU CONSTITUÉ DE VITRAGES INNOVANTS. »

LE DOMOLAB :
INVENTER L'HABITAT DE DEMAIN

Premier centre d'innovation de Saint-Gobain consacré à l'habitat, le DomoLab, installé à Aubervilliers, a été inauguré en octobre 2011. Espace de travail collaboratif et de prospective, il est un lieu unique d'écoute et d'échange sur les besoins du marché pour les architectes et les professionnels du bâtiment. Le DomoLab offre un parcours de visite avec des expériences sensorielles autour de matériaux Saint-Gobain : on pénètre notamment dans une forêt sonore ou un iglou constitué de vitrages innovants. On peut également tester différents produits grâce à la réalité virtuelle.

Maison multi-confort près de Johannesburg.

MAISON MULTI-CONFORT
(AFRIQUE DU SUD)

Parmi les nombreuses maisons multi-confort de Saint-Gobain, qui sont des maisons à énergie positive entièrement construites avec des matériaux du Groupe, Stand 47 est le nom donné à celle inaugurée en 2014 en Afrique du Sud, dans la province de Gauteng, près de Johannesburg. C'est une maison étonnante, qui allie techniques et matériaux traditionnels (briques et mortiers) avec les technologies les plus récentes de Saint-Gobain.

« STAND 47 EST LE NOM DONNÉ À UNE MAISON ÉTONNANTE, QUI ALLIE TECHNIQUES ET MATÉRIAUX TRADITIONNELS (BRIQUES ET MORTIERS) AVEC LES TECHNOLOGIES LES PLUS RÉCENTES. »

2. LES USINES

Les lieux qui ancrent Saint-Gobain dans son histoire, ce sont les usines. L'usine est le lieu vers lequel convergent toutes les attentions et toutes les traditions. Elles sont nombreuses (environ 1 100 réparties à travers le monde), très différentes les unes des autres mais ce qui les unit, c'est la technique, plus ou moins élaborée et souvent source de fierté, le four (présent dans de nombreuses activités) et l'obsession de la sécurité qui rappelle, au seuil de chacune d'entre elles, que l'usine est encore aujourd'hui un univers dangereux.

L'usine est un monde plutôt fermé, sauf à ses clients et fournisseurs, qui s'ouvre néanmoins pour des circonstances exceptionnelles (anniversaires, visites de personnalités...). On en voit de toutes sortes : des désertes, des peuplées, des technologiques et des plus sommaires, des belles et des moins belles, des neuves et des très vieilles dont les anciens bâtiments sont souvent un obstacle à la rationalisation, des chaudes et des froides, certaines construites sur un nouveau terrain (appelées *greenfields*), d'autres achetées en l'état et transformées... La plupart ne s'arrêtent jamais, elles sont à feu continu. Elles sont en constante évolution : le fonctionnement, la productivité, la qualité sont améliorés grâce aux outils WCM (voir *Les Mots*).

Les usines sont des lieux qui, par certains côtés, se détachent de leur pays, de leur terroir, pour appartenir à une autre nation cosmopolite, régie par ses propres us et coutumes : ceux de Saint-Gobain.

Entrée de la manufacture des glaces à Saint-Gobain au début du xxᵉ siècle.

L'usine de Chauny au début du XXᵉ siècle.

SAINT-GOBAIN (AISNE),
BERCEAU DE SAINT-GOBAIN

Qui se souvient que le groupe Saint-Gobain tire son nom d'un petit village de Picardie, entre Laon et Soissons, choisi en 1692 pour abriter une manufacture de glace soufflée et coulée ? Pourquoi Saint-Gobain ? Le lieu présente l'intérêt d'être isolé à l'abri des regards indiscrets et d'être proche d'une vaste forêt, dont le bois sert de combustible aux fours. L'installation de la manufacture sur les vestiges d'une forteresse médiévale ne permet pas toujours une extension très rationnelle sur les 11 hectares du site escarpé qu'elle va occuper. Aux halles à charpente en chêne du xviiie siècle succèdent les halles à charpente métallique du xixe ainsi qu'une ligne de chemin de fer privée reliant la manufacture à la soudière de Chauny pour permettre la circulation des employés, des matières premières, des produits chimiques et des glaces.

En 1965, au moment du tricentenaire de Saint-Gobain, la glacerie comptait 800 salariés. La fabrication des glaces avait été arrêtée en 1920 et l'usine produisait du verre coulé (laminé entre des rouleaux gravés, ce qui donnait des motifs imprimés) et du verre armé. La grande commande de la Pyramide du Louvre fut le chant du cygne de cette usine historique qui ferma ses portes en 1995, trois siècles après son installation à Saint-Gobain.

Reconstitution de la manufacture des glaces de Saint-Gobain en 1785.

Le site appartient aujourd'hui à la commune de Saint-Gobain, qui lui cherche un nouveau destin. Du temps de la splendeur de la manufacture au xviiie siècle, il reste l'imposante porte d'entrée, dont le dessin avait été approuvé par Soufflot, la chapelle (édifiée dans un ancien tordoir à soude), le bâtiment dit du Bel-Air et le Grand Logis ainsi que quelques maisons ouvrières.

CHAUNY (AISNE)
OU L'AVENTURE DE LA CHIMIE

Chauny pourrait être le symbole des activités chimiques dans lesquelles Saint-Gobain s'était lancé au xixe siècle, et qu'il a conservées jusqu'en 1971. Chauny qui se trouve à une quinzaine de kilomètres de Saint-Gobain, en Picardie, est au début du xixe siècle le lieu de la transformation des glaces qui arrivent, brutes, de Saint-Gobain et repartent par bateau pour Paris (où elles sont vendues aux miroitiers), transparentes et étincelantes, après les opérations de douci et poli. À partir de 1822 est installée également à Chauny une soudière : la soude est une matière première indispensable à la fabrication du verre, avec le sable et la chaux. Le procédé Leblanc découvert à la fin du xviiie siècle permet de fabriquer une soude artificielle de bonne qualité.

Cette soude fabriquée à Chauny excède les seuls besoins de la Manufacture et va pouvoir être commercialisée pour d'autres industries et d'autres usages. Le célèbre chimiste Gay-Lussac, qui fut administrateur puis président de la Manufacture des glaces de 1841 à 1850, met au point un procédé qui permet de faire baisser le prix de revient de l'acide sulfurique de 20 %.

En 1872, Saint-Gobain réalise avec la maison Perret-Olivier une fusion importante qui lui permet de diversifier sa production et de gagner sept nouvelles usines chimiques. À la fin du xixe siècle, les activités verrières et chimiques de Saint-Gobain représentaient chacune la moitié du chiffre d'affaires. À partir de 1880, en raison d'un procédé concurrent de Solvay, Saint-Gobain se tourne vers un nouveau débouché pour sa production d'acide sulfurique : le marché des engrais et fertilisants (appelés superphosphates), ce qui va assurer pendant des décennies au nom de Saint-Gobain et à la salamandre qui est l'emblème de sa branche chimie une grande renommée dans les campagnes. Tandis que les superphosphates déclinent, Saint-Gobain prend des participations dans d'autres sociétés pour se lancer dans la fabrication d'azote, de dérivés du pétrole ou de cellulose. En 1960, Saint-Gobain et Péchiney rapprochent leurs activités

Fabrication des canalisations en fonte de PAM.

chimiques dans une filiale commune (PSG). En 1969, Rhône-Poulenc rachète progressivement les parts de Péchiney et de Saint-Gobain. C'est la fin de cette branche chimie qui aura concouru au succès de Saint-Gobain pendant plus d'un siècle. Le site de Chauny, qui était en bonne place dans la raison sociale de l'entreprise jusqu'en 1959 (Manufacture des glaces et des produits chimiques de Saint-Gobain, Chauny et Cirey), entame alors, avec dix-sept autres sites industriels, une nouvelle page de son histoire sans Saint-Gobain.

PONT-À-MOUSSON (MEURTHE-ET-MOSELLE) : LA FORGE DE VULCAIN

C'est la forge de Vulcain, une usine où la féerie est partout présente et visible alors que les fours verriers d'aujourd'hui dissimulent aux regards la magie de la fusion du verre à très haute température. Ces hauts-fourneaux de Pont-à-Mousson, fondés dans la seconde moitié du xixe siècle, sont à la fois le point de départ d'une activité économique aujourd'hui présente dans neuf pays et un patrimoine vivant, un élément indispensable dans le paysage de cette petite ville de 15 000 habitants située sur la Moselle.

Même si les progrès de l'hygiène et de la sécurité ont fait leur œuvre dans les hauts-fourneaux, cette usine d'où sortent chaque

Coulée de la fonte en fusion dans les hauts-fourneaux de Pont-à-Mousson.

jour des tuyaux de fonte ductile (fabriqués à partir de minerai de fer, de coke et d'une pincée de magnésium) destinés au transport de l'eau, reste impressionnante de chaleur et de courants d'air, de bruit, d'éclairs et de noirceur. À Pont-à-Mousson, où travaillent environ 900 personnes, on parle diamètres (des tuyaux) et on compte en tonnes (de fonte). Ces grands tuyaux, noirs, rouges, verts, bleus, suivant l'usage auquel ils sont destinés, rejoignent le port d'Anvers pour partir ensuite dans le monde entier. Paradoxe : les fabrications de Pont-à-Mousson, si spectaculaires, deviennent rapidement invisibles car enfouies dans le sol pour longtemps.

Pont-à-Mousson, dit PAM, a une culture d'entreprise très forte, des institutions propres comme la fête du travail, une université volante (Université Cana) et une vraie fierté de savoir dompter la matière. Ces valeurs PAM ont pu s'exporter et s'exprimer dans les différents sites à l'étranger, au Brésil en particulier, où PAM est présent depuis les années 1930, en Allemagne, en Angleterre ou encore en Chine.

Quant au pont qui orne le logo de Saint-Gobain, c'est celui de Pont-à-Mousson, qui enjambe la Moselle et qui témoigne de cette fusion historique de 1970 entre deux entreprises que tout séparait, sauf le feu de leurs industries : le verre de Saint-Gobain, la fonte de PAM.

« UNE CARRIÈRE DE GYPSE SOUTERRAINE QUI S'ÉTEND SUR PRÈS DE 60 HECTARES. LA HAUTEUR MAXIMALE DES GALERIES PEUT ATTEINDRE 17 MÈTRES ! »

VAUJOURS (FRANCE) : UNE CATHÉDRALE DE GYPSE

L'usine Placoplatre de Vaujours, en fonctionnement depuis 1948, est alimentée par une carrière de gypse souterraine qui s'étend sur près de 60 hectares, sous les communes de Coubron et de Vaujours, en Seine-Saint-Denis. Son exploitation utilise la méthode des chambres et piliers, avec un réseau de galeries perpendiculaires de 8 mètres de largeur laissant entre elles des piliers carrés de 7 mètres de côté. La hauteur maximale des galeries peut atteindre 17 mètres ! L'usine de Vaujours, qui a été modernisée en 2008 avec une nouvelle chaîne de fabrication de plaques de plâtre, est le premier site de transformation du gypse dans le monde.

Carrière de gypse de Vaujours.

EAST LEAKE (ROYAUME-UNI)

L'histoire du site d'East Leake, dans les East Midlands, remonte à la fin du XIXe siècle, quand a commencé l'exploitation de la carrière de gypse. La première usine de plâtre a, quant à elle, été construite vers 1920 puis remplacée, en 1947, par une usine de plaques de plâtre qui n'a depuis lors cessé de s'agrandir. Près de 120 000 tonnes de gypse sont extraites chaque année sur ce site qui emploie aujourd'hui quelque 300 personnes. À East Leake, la production trimestrielle de plaques de plâtre est équivalente à deux fois le trajet aller et retour Terre-Lune !

> « À EAST LEAKE, LA PRODUCTION TRIMESTRIELLE DE PLAQUES DE PLÂTRE EST ÉQUIVALENTE À DEUX FOIS LE TRAJET ALLER ET RETOUR TERRE-LUNE ! »

Usine de plaques de plâtre d'East Leake.

Usine de réfractaires du Pontet.

LE PONTET (FRANCE)

Depuis 1947, l'usine SEPR (Société européenne des produits réfractaires) est installée au Pontet, près d'Avignon : elle regroupe l'activité Saint-Gobain SEFPRO, qui fabrique des matériaux résistant à de très hautes températures à base de zircone, alumine et silice (pour les fours verriers notamment), et Saint-Gobain ZirPro, qui produit des billes et poudres céramiques pour le traitement de surface.

USINE VERALLIA DE BAD WURZACH (ALLEMAGNE)

Inaugurée en 1946, l'usine Verallia de Bad Wurzach, située dans le Bade-Wurtemberg, à 25 kilomètres au nord de Ravensburg, est dotée de 3 fours et de 9 lignes de production. Toutes activités confondues, 320 collaborateurs du Groupe y travaillent. Y sont essentiellement fabriquées des bouteilles de bière, des bouteilles de vin tranquille et pétillant ainsi que des pots destinés à l'industrie agro-alimentaire.

Usine de bouteilles de Bad Wurzach.

BARRA MANSA (BRÉSIL)

Saint-Gobain Canalização, entreprise issue de l'ancienne Companhia Metalúrgica Barbará, développe, produit et commercialise depuis plus de 75 ans des solutions en fonte pour le transport de l'eau. Elle dispose de deux unités de production, dont Barra Mansa, dans l'État de Rio de Janeiro, où travaillent 900 personnes. C'est Pont-à-Mousson transplanté dans une végétation luxuriante !

Hauts-fourneaux de Saint-Gobain
Canalização à Barra Mansa.

Usine de vitrage automobile de Cuautla.

Contrôle de pare-brise dans l'usine de Shanghai.

USINES GLASS ET SEKURIT DE CUAUTLA (MEXIQUE)

La première ligne *float* de Saint-Gobain Glass México est entrée en service en 1997 à Cuautla, dans l'État de Morelos. Afin de répondre aux besoins de la production, un deuxième four a été inauguré en 2008. Saint-Gobain Glass México emploie quelque 420 personnes et produit des miroirs et du verre pour le bâtiment et l'automobile. Sur le même site est présente une usine de vitrage destiné à des voitures construites au Mexique, qui seront ensuite pour beaucoup exportées vers les États-Unis.

USINE SEKURIT DE SHANGHAI (CHINE)

Saint-Gobain Sekurit est présent en Chine depuis 1995 et figure parmi les trois principaux équipementiers verriers du pays. L'usine de Shanghai, qui emploie 1 300 personnes, a été créée de toutes pièces en 2003. Y sont fabriqués des pare-brise, des lunettes chauffantes, des vitres latérales et des toits pour de prestigieuses marques automobiles telles que Daimler-Benz, Peugeot SA, Ford, Nissan ou encore General Motors.

USINES GLASS ET SEKURIT DE DĄBROWA GÓRNICZA (POLOGNE)

Le site industriel de Dąbrowa Górnicza, dans le sud de la Pologne, rassemble deux activités du Groupe. D'une part, Saint-Gobain Glass Polska produit du verre pour le bâtiment et du verre pour l'industrie automobile. D'autre part, Saint-Gobain Sekurit HanGlas Polska fabrique tous types de vitrages automobiles. Le site de Dąbrowa Górnicza emploie plus de 1 300 personnes et s'étend sur près de 50 hectares.

Usine de verre pour le bâtiment et l'automobile de Dąbrowa Górnicza.

USINE ZIRPRO DE HANDAN (CHINE)

Saint-Gobain a acquis l'usine ZirPro de Handan par le rachat, en 2005, de la société Handan YongLong Haute Technologie Céramique Co., Ltd. Y sont fabri- quées des billes en céramique et des poudres de zircone indispen- sables à de nombreuses applica- tions : papier, peinture, industrie minière, aéronautique, métal- lurgie, joaillerie, etc.

Usine de céramiques de Handan.

USINE MAG-ISOVER DE TSUCHIURA (JAPON)
Construite en 1970 par Nihon Glass Fiber, l'usine de Tsuchiura est située dans la ville de Kasumigaura, à 90 kilomètres au nord de Tokyo. Depuis 2010, elle appartient en totalité à Saint-Gobain et emploie une centaine de personnes. Elle fabrique une large gamme de produits en laine de verre pour l'ensemble des marchés de MAG-ISOVER.

Usine de laine de verre de Tsuchiura.

> DE JUILLET 2004 À AVRIL 2005, LA CONSTRUCTION DE L'USINE DE SARABURI (THAÏLANDE) AURA DURÉ NEUF MOIS. UN RECORD DE RAPIDITÉ ! FORTE DE SES 85 COLLABORATEURS, ELLE FABRIQUE DIFFÉRENTS TYPES DE MORTIERS.

Usine de mortiers de Saraburi.

USINE ADFORS DE LITOMYŠL (RÉPUBLIQUE TCHÈQUE)

L'usine Adfors de Litomyšl, ancienne entreprise d'Etat Vertex construite dans les années 1950, produit de la fibre de verre. En raison de sa solidité, de sa résistance au feu et de son inaltérabilité, la fibre de verre, tissée ou non, est utilisée dans la construction, le renforcement des routes et différentes industries.

Usine de fibre de verre de Litomyšl.

USINE WEBER DE SARABURI (THAÏLANDE)

L'usine Weber de Saraburi est la première de l'activité Weber en Asie du Sud-Est. De juillet 2004 à avril 2005, la construction de l'usine de Saraburi (Thaïlande) aura duré neuf mois. Un record de rapidité ! Forte de ses 85 collaborateurs, elle fabrique différents types de mortiers.

USINE GLASS DE PISE (ITALIE)

La présence de Saint-Gobain en Italie remonte à l'ouverture de la Fabbrica Pisana di Specchi e Lastre Colate di Vetro, à Pise donc, en 1889. Quatre ans plus tard, la production démarrait dans cette usine, une des plus modernes de l'époque. En 1963, c'est à Pise qu'est construit le pre- mier *float* de Saint-Gobain. En 2010, Saint-Gobain décide de renforcer ses activités en Italie. Une nouvelle ligne *float* est reconstruite, moins polluante et produisant un verre de plus grande qualité... à partir de 30 % de verre recyclé ! L'usine de Pise emploie aujourd'hui plus de 250 personnes.

Ligne *float* de l'usine de Pise.

USINES GLASS ET SEKURIT D'AVILÉS (ESPAGNE)

En 1904, Saint-Gobain s'associe au propriétaire d'une manufacture de miroirs à Saragosse pour produire du verre plat : c'est l'acte de naissance de la Cristalería Española, devenue aujourd'hui Saint-Gobain Cristalería. Par la suite, Saint-Gobain déplace son activité d'Arija à Avilés, dans les Asturies, sur un site plus rationnel. Commencée en 1948, la nouvelle usine est inaugurée en 1952. Aujourd'hui, le site d'Avilés abrite à la fois des activités de Saint-Gobain Glass, de Saint-Gobain Sekurit et un centre de recherche et développement.

Usine verrière d'Avilés.

USINE NORTON DE WORCESTER (ÉTATS-UNIS)
Les activités de Norton dans les abrasifs ont commencé à Worcester, dans le Massachusetts, à la fin du XIXe siècle, plus précisément en 1885, quand la Norton Emery Wheel Company s'est lancée dans la fabrication de série de meules à l'émeri. Profitant de l'industrialisation croissante, Norton se hisse, à la veille de la première guerre mondiale, parmi les 400 plus grandes entreprises américaines. Un siècle plus tard, en 2014, Worcester emploie près de 1 200 personnes sur cet immense campus qui compte 8 usines ! Les activités se sont étendues au-delà des abrasifs : grains ou poudres, réfractaires haute performance...

Usine d'abrasifs de Worcester.

USINE ISOVER DE YEGORIEVSK (RUSSIE)
L'ouverture en 2002 de l'usine Isover de Yegorievsk, à 140 kilomètres au sud-est de Moscou, marque la première installation industrielle de Saint-Gobain en Russie. Elle emploie près de 270 personnes et compte parmi les cinq plus grands sites de production de laine de verre du Groupe.

Site de fabrication de laine de verre de Yegorievsk.

WAYNE (ÉTATS-UNIS)

Créée en 1966 par Chemplast Inc., l'usine de Wayne, dans le New Jersey, a été rachetée par Norton en 1982. Elle fait aujourd'hui partie de la division des plastiques de haute performance de Saint-Gobain. Elle fabrique des paliers ou roulements en matériaux composites ainsi que des films plastique pour l'industrie, et plus précisément l'automobile, l'aérospatial et le solaire. L'usine de Wayne compte environ 160 collaborateurs.

Usine de plastiques de Wayne.

USINE ISOVER DE SPEYER (ALLEMAGNE)

Depuis 1973, l'usine de Speyer, située en Rhénanie-Palatinat, fabrique des matériaux isolants à base de laine de verre destinés au marché de la construction et à des applications industrielles. Actuellement, le site de Speyer emploie environ 240 personnes. La laine de verre est fabriquée d'après le procédé TEL, breveté par Saint-Gobain à la fin des années 1950. La part de verre recyclé entrant dans la composition des fabrications peut aller jusqu'à près de 70 %.

Usine de laine de verre de Speyer.

HERZOGENRATH (ALLEMAGNE)

La fondation du site industriel d'Herzogenrath, près de Cologne, remonte à 1873. Aujourd'hui, il compte parmi les sites les plus importants de Saint-Gobain en Allemagne. Aussi abrite-t-il le siège de Saint-Gobain Sekurit dans ce pays ainsi qu'un centre de recherche. La première ligne *float* y a été inaugurée en 1970. Près de 800 personnes travaillent sur le site d'Herzogenrath.

BANGALORE (INDE)

Bangalore, dans l'État du Karnataka, est un vaste complexe industriel construit dans les années 1970 par l'entreprise américaine Norton associée à Grindwell, pionnier des abrasifs en Inde. Une large gamme de produits abrasifs y est donc fabriquée. À la suite de l'acquisition de Norton par Saint-Gobain, en 1990, des matériaux haute performance (plastiques et céramiques) y sont également produits. Plus de 460 personnes travaillent aujourd'hui à Bangalore.

Ligne *float* de l'usine d'Herzogenrath.

"BANGALORE, DANS L'ÉTAT DU KARNATAKA, EST UN VASTE COMPLEXE INDUSTRIEL CONSTRUIT DANS LES ANNÉES 1970. UNE LARGE GAMME DE PRODUITS ABRASIFS Y EST FABRIQUÉE AINSI QUE DES MATÉRIAUX HAUTE PERFORMANCE (PLASTIQUES ET CÉRAMIQUES)."

Usine d'abrasifs de Bangalore.

3. DISTRIBUTION BÂTIMENT : 4 400 POINTS DE VENTE DANS 27 PAYS

« L'ENSEIGNE GÉNÉRALISTE POINT.P S'EST HISSÉE À LA PREMIÈRE PLACE SUR LE MARCHÉ FRANÇAIS DE VENTE DE MATÉRIAUX DE CONSTRUCTION, AVEC SES 900 AGENCES. AVEC D'AUTRES ENSEIGNES SPÉCIALISTES TELLES QUE CEDEO OU PUM, ELLE CONSTITUE SAINT-GOBAIN DISTRIBUTION BÂTIMENT FRANCE. »

POINT.P

L'enseigne généraliste Point.P s'est hissée à la première place sur le marché français de vente de matériaux de construction, avec ses 900 agences. Avec d'autres enseignes spécialistes telles que Cedeo ou PUM Plastiques, elle constitue Saint-Gobain Distribution Bâtiment France. Ensemble, ces points de vente s'adressent, en priorité, aux professionnels du bâtiment. Ils forment un réseau qui couvre tout le territoire et approvisionne les marchés de la construction neuve comme de la rénovation.

L'agence Point.P de Nanterre.

RAAB KARCHER

Depuis 2000, Raab Karcher est la principale enseigne de Saint-Gobain Distribution Bâtiment en Allemagne, ainsi qu'aux Pays-Bas, en Hongrie et en République tchèque. Fondée en 1848, cette société commercialisait à l'origine du charbon. Son réseau est aujourd'hui constitué d'enseignes généralistes et spécialistes complémentaires qui lui permettent de répondre à tous les types de clients, de marchés et de projets.

L'agence Raab Karcher de Bonn.

Une agence Jewson au Royaume-Uni.

JEWSON

L'enseigne Jewson (qui a fêté en 2011 ses 175 ans) a rejoint le Groupe Saint-Gobain en 2000 et est un acteur majeur de la distribution de matériaux de construction et de bois au Royaume-Uni et en Irlande, qui dispose d'un réseau dense d'enseignes généralistes et spécialistes. Elle s'adresse d'abord aux artisans ainsi qu'aux petites et moyennes entreprises.

LA PLATEFORME D'AUBERVILLIERS

Mettant en pratique l'efficacité énergétique qu'elle vend dans ses rayons, la Plateforme du Bâtiment d'Aubervilliers, destinée aux professionnels du bâtiment, a été rénovée et étendue en 2012. Elle a été certifiée HQE (haute qualité environnementale) et dépasse les exigences du standard bâtiment basse consommation en France, avec une consommation d'énergie onze fois moindre qu'auparavant.

La Plateforme du Bâtiment HQE d'Aubervilliers.

Le magasin Lapeyre de Bordeaux-Mérignac.

LAPEYRE

Le groupe Lapeyre, né à Paris dans un entrepôt commercialisant les portes et fenêtres provenant d'immeubles démolis par Haussmann, est aujourd'hui spécialisé dans l'agencement de l'habitat, à travers ses différents univers : aménagements, bains, cuisines, menuiseries et sols. À la fois fabricant et distributeur, Lapeyre propose du sur-mesure et des services personnalisés.

OPTIMERA

L'enseigne Optimera, implantée en Suède, au Danemark et en Norvège, sert les marchés de la construction neuve, de la rénovation et de l'efficacité énergétique ainsi que les marchés industriels.

Une agence Optimera en Norvège.

LA PLUS GRANDE HALLE COMMERCIALE DE FRANCE DÉDIÉE AU BÂTIMENT

Située aux portes de Paris, la grande halle de Pantin regroupera en un lieu unique six enseignes complémentaires de Saint-Gobain Distribution Bâtiment France. Construite entre 1946 et 1949, cette halle, superbe témoin de l'architecture de la reconstruction au lendemain de la seconde guerre mondiale, est née de la collaboration de l'architecte-ingénieur Paul Peirani, alors directeur des bâtiments de la SNCF, et de Bernard Laffaille, ingénieur. Elle apportera une réponse globale et complète aux professionnels du bâtiment, quels que soient leur métier ou la taille de leur entreprise. La rénovation de cette halle est par ailleurs un projet sans équivalent en matière de performance énergétique et d'insertion dans le paysage urbain.

Grande halle de Pantin en travaux.

DAHL

Dahl Norvège a réalisé de gros investissements pour agrandir et moderniser son centre logistique de Langhus, au sud d'Oslo. Le centre occupe une surface couverte de 44 000 mètres carrés. À la pointe de l'automatisation, il figure parmi les centres les plus performants du Pôle Distribution Bâtiment. Avec ses 23 000 références en stock, il est capable de traiter 13 000 lignes de commande par jour !

Le système automatisé du centre logistique Dahl de Langhus, près d'Oslo.

TELHANORTE

Au Brésil, l'enseigne Telhanorte est le premier distributeur de produits pour l'aménagement intérieur. Elle possède de nombreux points de vente, principalement implantés dans l'État de São Paulo, ainsi que plusieurs centres logistiques permettant d'approvisionner l'ensemble des magasins. À la fin de l'année 2013, un nouveau centre logistique a été ouvert dans l'État voisin du Minas Gerais.

Centre logistique de Telhanorte à São Paulo.

III.
LES GRANDES RÉALISATIONS

« SANS DOUTE LA COMMANDE LA PLUS CÉLÈBRE DE LA MANUFACTURE DES GLACES. SES 357 MIROIRS ONT ÉTÉ RÉALISÉS DANS LA MANUFACTURE DE TOURLAVILLE, DANS LE COTENTIN, SELON LE PROCÉDÉ TRADITIONNEL DU SOUFFLAGE, CE QUI EXPLIQUE QUE LEURS DIMENSIONS SOIENT MODESTES, MAIS ILS SONT BISEAUTÉS, CE QUI SUPPOSE UNE ÉPAISSEUR IMPORTANTE, INHABITUELLE POUR DU VERRE SOUFFLÉ. »

LA GALERIE DES GLACES DU CHÂTEAU DE VERSAILLES

La galerie des Glaces du château de Versailles, appelée à l'origine Grande Galerie et achevée par Jules Hardouin-Mansart en 1684, est sans doute la commande la plus célèbre de la Manufacture des glaces. Ses 357 miroirs ont été réalisés dans la manufacture de Tourlaville, dans le Cotentin, selon le procédé traditionnel du soufflage, ce qui explique que leurs dimensions soient modestes, mais ils sont biseautés, ce qui suppose une épaisseur importante, inhabituelle pour du verre soufflé – le procédé de coulage en table ne sera inventé que quelques années plus tard. Les glaces ont été étamées au mercure, procédé qui sera supplanté par l'argenture dans les années 1860. Une grande part d'entre elles sont d'origine, 30 % environ ayant été remplacées au fil du temps.

Si les cabinets de glaces cloisonnées étaient prisés dès la fin du XVIᵉ siècle, la galerie des Glaces de Versailles, par son envergure, marqua les esprits. Elle fut imitée dans les palais de l'Europe entière : Stockholm, Schönbrunn, Charlottenburg…

La galerie des Glaces du château de Versailles.

> « LE PALAIS DE L'INDUSTRIE, ÉDIFIÉ EN BAS DES CHAMPS-ÉLYSÉES, TENTE DE RIVALISER AVEC LE CRYSTAL PALACE. RECTANGLE DE 234 MÈTRES DE LONG, DIVISÉ EN CINQ GALERIES, IL EST SURMONTÉ D'UNE SPECTACULAIRE VERRIÈRE FOURNIE PAR SAINT-GOBAIN, QUI FAIT PAR AILLEURS PARTIE DES EXPOSANTS. »

EXPOSITIONS UNIVERSELLES :
LA FÉERIE DU VERRE

Le 1er mai 1851, la reine Victoria et son époux, le prince Albert, inaugurent, à Hyde Park et en grande pompe, la « grande exposition des produits de l'industrie de toutes les nations », la première du genre. L'événement s'inspire des « expositions des produits de l'industrie française » qui ont connu, entre 1798 et 1849, onze éditions. Reste qu'avec ses quelque 14 000 participants réunis dans le spectaculaire Crystal Palace construit pour l'occasion, l'exposition se déroule à une tout autre échelle, inédite jusqu'alors. Quand, quatre ans plus tard, Paris accueille une « exposition universelle des produits de l'agriculture, de l'industrie et des beaux-arts », les organisateurs n'ont qu'une idée en tête, surpasser celle de Londres. Du 15 mai au 15 novembre 1855, 24 000 exposants dont 12 000 Français accueillent un peu plus de 5 millions de visiteurs ! Le palais de l'Industrie, édifié en bas des Champs-Élysées, tente de rivaliser avec le Crystal Palace. Rectangle de 234 mètres de long, divisé en cinq galeries, il est surmonté d'une spectaculaire verrière fournie par Saint-Gobain, qui fait par ailleurs partie des exposants.

Saint-Gobain fournit encore du verre pour les expositions de 1867 et de 1878, toutes deux organisées à Paris. Et surtout, en 1889, pour celle dite du Centenaire (centième anniversaire de la Révolution française), qui accueillera 32 millions de visiteurs, la Manufacture est sollicitée pour la verrière de la galerie des Machines qui se dresse sur le Champ-de-Mars, principale attraction de l'Exposition avec la tour Eiffel.

La galerie des Machines de l'Exposition universelle de 1889 à Paris.

PARIS ET SES KILOMÈTRES DE FONTE

L'installation du réseau de canalisations en fonte pour l'adduction en eau potable et l'évacuation des eaux usées de Paris est un immense et prestigieux chantier. En 1883, Pont-à-Mousson en obtient le marché et parvient à le conserver les années suivantes en remportant toutes les adjudications. Ainsi, 80 % des 85 000 tonnes de tuyaux et pièces de raccords mis en place entre 1878 et 1893 par la Ville de Paris ont été fabriqués par l'usine de Pont-à-Mousson. Dans l'entre-deux-guerres, l'entreprise se chargera encore du remplacement de tuyaux posés dans la première moitié du xixe siècle.

LE GRAND PALAIS : UN PALAIS BÂTI POUR DURER

Au cœur de l'axe reliant les Champs-Élysées aux Invalides, le Grand Palais est un vaisseau de fer, de verre et de pierre, construit à l'occasion de l'Exposition universelle de 1900, dont le thème est « Le bilan d'un siècle ». Saint-Gobain fournit une grande partie de la verrière, constituée de verre armé et dépoli, et apporte verre et miroirs aux éphémères mais féeriques palais des Illusions et palais lumineux.

Pose de tuyaux Pont-à-Mousson à Paris devant l'Assemblée nationale (1930).

Le Grand Palais (Paris).

Le grand magasin La Samaritaine à Paris (fin des années 1920).

LA SAMARITAINE HABILLÉE DE VERRE SAINT-GOBAIN ET DE BÉTON POLIET

Ouvert à Paris en 1870, le magasin La Samaritaine connaît un succès fulgurant qui entraîne plusieurs campagnes d'agrandissements. La plus importante d'entre elles a lieu à la fin des années 1920, lorsque l'architecte Henri Sauvage remplace la structure métallique existante, de style Art nouveau, par une ossature en béton armé (fourni par Poliet et Chausson) et de grandes baies vitrées géométriques, caractéristiques de l'Art déco. À l'intérieur, afin de permettre une meilleure diffusion de la lumière naturelle, le choix est fait de construire les planchers du nouveau magasin en dalles de verre, fabriquées par Saint-Gobain et redécouvertes à l'occasion de la campagne de travaux actuelle.

LA MAGIE DU PAVILLON DE SAINT-GOBAIN À L'EXPOSITION INTERNATIONALE DE 1937

L'Exposition internationale de 1937, à Paris, fait date dans l'histoire de Saint-Gobain et dans l'histoire

Visite du pavillon Saint-Gobain en 1937.

tout court. Cette exposition, qui veut célébrer le mariage des arts et des techniques dans la vie moderne – voir la toile monumentale de Raoul Dufy *La Fée électricité* – intervient dans une période de dépression économique mondiale et dans un contexte politique lourd de menaces, que symbolise la rivalité des pavillons de l'Allemagne nazie et de l'URSS qui s'y font face. Elle reçoit néanmoins plus de 31 millions de visiteurs.

Saint-Gobain, qui souhaite avoir son propre pavillon d'exposition, un pavillon tout en verre, en confie le dessin et l'exécution au décorateur Jacques Adnet et à René Coulon. Ce dernier, architecte diplômé de l'École nationale supérieure des Beaux-Arts, en fait une vitrine spectaculaire de tous les produits verriers : glaces trempées et bombées de grandes dimensions en façade, mur de miroirs, pavés de verre chauffants Tépidor, briques de verre isolantes… L'ossature de béton armé étant habillée de marmorite (verre opaque) noire ou de briques de verre, l'impression d'ensemble est celle de la transparence.

Le pavillon de verre de Saint-Gobain à
l'Exposition internationale de 1937 à Paris.

La première traversée du paquebot *Normandie* entre la France et New York (1935).

LE VERRE À LA CONQUÊTE DES MERS

LE *NORMANDIE*

À partir de la fin du XIXe siècle, grâce aux progrès technologiques, le verre est de plus en plus utilisé dans les constructions navales, permettant enfin à la lumière de pénétrer jusqu'aux entrailles des bâtiments. L'inauguration du *Normandie*, en 1935, marque une nouvelle étape. Les hublots sont réalisés en verre, mais en verre Sécurit de Saint-Gobain, dont la résistance permet d'en diminuer de moitié l'épaisseur et donc le poids, économie qui compte pour qui se déplace sur mer. C'est aussi le Sécurit qui est utilisé pour les longues baies vitrées des ponts-promenades. À l'intérieur du *Normandie*, Saint-Gobain réalise de magnifiques glaces Art déco, d'après les cartons de Jean Dupas, pour décorer le grand salon des première classe. La Manufacture peut à bon droit affirmer que « l'aménagement du *Normandie* consacre le triomphe de la glace et des produits vitrifiés ».

GÉANT DES MERS : GÉANT DE VERRE

Construit pour la Royal Caribbean
International, l'*Oasis of the Seas* est
le plus grand navire de croisière au
monde. La majeure partie de ses
vitrages a été réalisée en 2008 par
Saint-Gobain Vetrotech Kinon. Les
façades de verre autour des escaliers
principaux et des ascenseurs ont
été spécialement conçues avec un
verre de sécurité qui laisse pénétrer
un maximum de lumière et permet
une excellente visibilité, et qui est
en outre résistant au feu.

Le navire de croisière *Oasis of the Seas*.

"UN MODÈLE RÉALISÉ PAR DES ARTISANS EN VUE D'UNE STANDARDISATION."
PIERRE CHAREAU

LA MAISON DE VERRE DE PIERRE CHAREAU : TOUT POUR LE VERRE

Réalisation emblématique de l'avant-garde architecturale de son temps, la maison dessinée par Pierre Chareau en 1928 est, de l'aveu même de son concepteur, un chantier expérimental, « un modèle réalisé par des artisans en vue d'une standardisation ». Pour apporter le maximum de lumière à la construction, située dans une arrière-cour parisienne, Chareau fait le choix de façades entièrement translucides. Il supprime les fenêtres, ne conservant que de petites ouvertures de sécurité, et adopte, pour la première fois à une telle échelle, la brique Nevada de Saint-Gobain. Ce pavé de verre de 20 centimètres de côté et de 4 centimètres d'épaisseur est martelé sur l'une de ses faces tandis que l'autre est concave, de façon à alléger la pièce et à favoriser la diffusion de la lumière.

Maison de verre de Pierre Chareau, rue Saint-Guillaume à Paris.

La Cité de Refuge de l'Armée du Salut à Paris, réalisée par Le Corbusier.

LA CITÉ DE REFUGE PAR LE CORBUSIER : LE VERRE SOURCE DE CHALEUR

Construite par Le Corbusier et son cousin Pierre Jeanneret entre 1929 et 1933 pour l'Armée du Salut, la Cité de Refuge, rue du Chevaleret à Paris, est le premier bâtiment d'habitation entièrement hermétique qui allie une structure en ciment armé à plus de 1 000 mètres carrés de vitrage sans ouvrant. Le système d'air pulsé dont il est équipé doit permettre d'assurer le confort des habitants tant en hiver qu'en été. Il utilise également largement la brique de verre pour faire pénétrer la lumière dans les espaces communs. Orienté plein sud, le vitrage

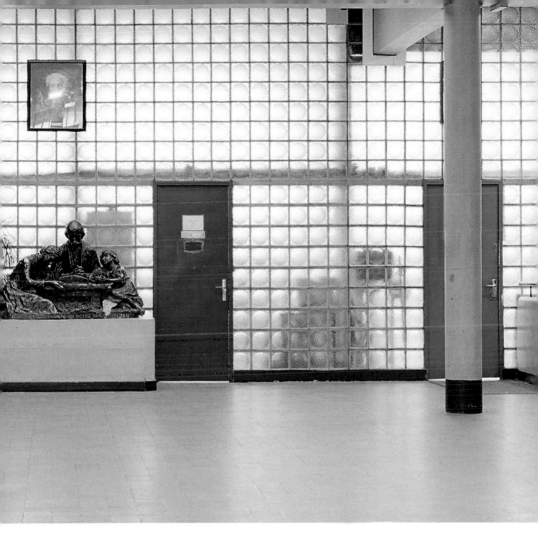

fabriqué par Saint-Gobain constitue une source de chaleur et permet de moins solliciter les appareils de chauffage traditionnels. En 1952, la défaillance du système de climatisation du bâtiment entraînera le remplacement de la façade par des baies ouvrantes, placées derrière un jeu de brise-soleil polychromes.

L'aéroport d'Orly en 1961.

L'AÉROPORT D'ORLY : LES TRENTE GLORIEUSES

Inaugurée en 1961, l'aérogare d'Orly-Sud s'est imposée d'emblée comme une réussite architecturale et même comme une attraction touristique ! Elle est une vitrine de la France triomphante des « trente glorieuses ». Conçue par l'architecte Henri Vicariot, l'aérogare se distingue à la fois par ses dimensions, 700 mètres de long pour 70 mètres de profondeur, et par les matériaux employés, l'acier, l'aluminium et le verre. La réalisation, en guise de façade, d'un mur-rideau entièrement vitré, est une grande première en France. Fourni par Saint-Gobain, ce rideau de verre offre une vue imprenable sur le ballet des avions.

LA MAISON DE LA RADIO : UN COLISÉE DE VERRE

Dessinée par l'architecte Henry Bernard, la Maison de la Radio est inaugurée le 14 décembre 1963. Sa forme circulaire fait sensation. Ce « Colisée du XXe siècle », comme l'appelle Henry Bernard, est conçu comme l'un des symboles de la modernité et de la grandeur de la France, portées sur les ondes radiophoniques. Saint-Gobain participe à cette aventure architecturale en livrant des vitrages de dimensions record. Ironie de l'histoire pour un bâtiment qui se veut d'avant-garde, ce sont les dernières « glaces » (panneaux de verre épais très régulier) fabriquées selon la méthode traditionnelle, bientôt remplacée par le procédé du *float*.

La Maison de
la Radio à Paris,
avec ses glaces
de 11 mètres de
haut réalisées
par Saint-Gobain
(1963).

LE REFUGE DES COSMIQUES :
SAINT-GOBAIN AU SOMMET

Le refuge des Cosmiques, situé
dans le massif du Mont-Blanc en
France, fut créé sous l'impulsion du physicien français Louis
Leprince-Ringuet, dans les années
1930. Cet ancien laboratoire du
CNRS fut détruit par un incendie
en 1983. Confiée par la commune de
Chamonix à l'agence d'architectes
Parizet et Blanchard, la reconstruction du refuge à partir de 1989
était un véritable défi auquel Saint-

Le refuge des Cosmiques dans le massif du Mont-Blanc (ci-dessous en 1991).

Gobain fut associé pour les vitrages et l'isolation. À 3 613 mètres d'altitude, l'isolation et les vitrages devaient résister à des écarts de température de 80 °C et à des vents pouvant souffler jusqu'à 240 kilomètres à l'heure ! Pari tenu !

MUSÉE DU LOUVRE : DE LA PYRAMIDE AU TAPIS VOLANT

C'est un morceau de bravoure que le Groupe réalise pour la pyramide dessinée par l'architecte Ieoh Ming Pei, ouverte au public en 1989. La mise au point du verre feuilleté extra-clair qui la constitue aura nécessité de nombreuses études pour répondre aux caractéristiques requises par l'architecte sur la transparence totale du verre, sa qualité optique et ses performances mécaniques. Ce verre a été en particulier débarrassé de ses oxydes de fer pour éviter tout reflet vert : quelques années et recherches plus tard (afin de pouvoir le produire en grandes quantités), il sera commercialisé par Saint-Gobain sous le nom de verre Diamant.

Cette aventure industrielle a aussi été un véritable périple : les 675 losanges et 118 triangles de verre ont été fabriqués à Saint-Gobain dans l'Aisne, polis en Angleterre, puis façonnés à Longjumeau avant d'arriver dans la cour Napoléon du Louvre.

Plus récemment, Saint-Gobain a également fourni de nombreuses vitrines du Louvre, le verre antieffraction et antireflet de la *Joconde*, les vitrages des cours intérieures et en particulier les deux mille panneaux de double vitrage qui se trouvent sous la résille du nouveau département des Arts de l'islam, dessinée par les architectes Mario Bellini et Rudy Ricciotti.

La pyramide du Louvre et ses vitrages spécialement mis au point par Saint-Gobain.

Le nouveau département des Arts de l'islam du Louvre.

La Grande Arche de La Défense.

LA GRANDE ARCHE DE LA DÉFENSE (FRANCE) : UN IMMENSE CUBE DE VERRE

Inaugurée en 1989, la Grande Arche de La Défense, de son vrai nom Grande Arche de la Fraternité, a été conçue par deux Danois, l'architecte Johann Otto von Spreckelsen et l'ingénieur Erik Reitzel. Les faces extérieures de l'arche sont recouvertes de plaques de verre feuilleté Saint-Gobain, traitées spécialement pour empêcher toute déformation optique et résister à des vents de forte puissance.

À SÉVILLE (ESPAGNE), DU VERRE QUI PROTÈGE DU SOLEIL !

En 1992, c'est au tour de Séville, en Espagne, d'accueillir une exposition universelle, renouant ainsi avec une tradition qui s'était éteinte depuis 1958. Placée sous le signe du 500e anniversaire de la découverte de l'Amérique par Christophe Colomb, elle est visitée par plus de 20 millions de personnes venues découvrir quelque 110 pavillons érigés pour l'occasion. Saint-Gobain a participé à la construction de plusieurs d'entre eux, notamment celui de la France, qui met une nouvelle fois le verre à l'honneur avec des façades, des passerelles et un parvis tout en verre. De son côté, Pont-à-Mousson, via sa filiale espagnole Funditubo, a réalisé le réseau d'adduction d'eau et d'arrosage du site.

Pavillon de la France à l'Exposition universelle de Séville (1992).

Magasin Prada (Tokyo).

> CES LOSANGES DE
> VERRE BOMBÉ ONT
> LA PARTICULARITÉ DE
> DONNER UN "EFFET
> LOUPE".

LE MAGASIN PRADA DE TOKYO (JAPON) : UNE PREMIÈRE MONDIALE

Le magasin Prada de Tokyo, conçu en 2003 par les architectes suisses Jacques Herzog et Pierre de Meuron, est équipé de 4 000 mètres carrés de double vitrage fournis par Saint-Gobain : ces losanges de verre bombé, assemblés sans cadre, ont la particularité de donner un « effet loupe », sans ombres ni reflets.

L'IMMEUBLE SWISS RE À LONDRES (ROYAUME-UNI) : DES ÉCONOMIES D'ÉNERGIE AU CŒUR DE LA CITY

Saint-Gobain a apporté le savoir-faire de plusieurs de ses filiales à la réalisation en 2004 du célèbre gratte-ciel de la City imaginé par l'agence de Norman Foster : 24 000 mètres carrés de verre extérieur qui donnent l'illusion d'un vitrage incurvé, une isolation signée Isover et un système d'évacuation en fonte de Saint-Gobain PAM. La tour consomme ainsi moitié moins d'énergie.

Tour Swiss Re (Londres).

Immeuble de l'InterActive Corp (New York).

L'INTERACTIVE CORP DE NEW YORK
(ÉTATS-UNIS) : UN VAISSEAU DE VERRE

Ses façades blanches, équipées de vitrages Saint-Gobain, se déploient comme des voiles : conçu par FrankGehry, l'immeuble de l'InterActive Corp surplombe la rivière Hudson, amarré majestueusement comme un bateau prêt à être lancé depuis Chelsea Highline.

LE PONT DE VERRE DE VENISE (ITALIE) :
QUAND SAINT-GOBAIN ENJAMBE
LE GRAND CANAL

L'architecte espagnol Santiago Calatrava ct Saint-Gobain Glass Italia se sont alliés pour doter Venise d'un nouveau pont en 2008. Structure sobre et légère, conçue en une seule travée et sans aucun support visible, il traverse le Grand Canal, de la piazzale Roma à la gare de Santa Lucia. Les 300 marches et les 90 parapets ont été fabriqués à base de verre trempé et feuilleté.

Pont de verre (Venise).

CENTRE NATIONAL DES ARTS DU SPECTACLE DE CHINE : LE VERRE EST-IL YIN OU YANG ?
Inauguré en 2007, le Grand Théâtre national de Chine ou Centre national des Arts du spectacle a été conçu par l'architecte français Paul Andreu. Le bâtiment présente la forme d'un dôme dessinant le symbole traditionnel chinois du yin et du yang, l'un en verre Saint-Gobain, l'autre en titane. L'isolation a été réalisée par Saint-Gobain ISOVER China.

DU VERRE SOUFFLÉ ET ÉTIRÉ POUR LE CHÂTEAU DE VERSAILLES
Un peu plus de trois cents ans après le chantier de la galerie des Glaces, Saint-Gobain intervient de nouveau à Versailles. La tempête de 1999 ayant beaucoup éprouvé certaines fenêtres du château, 400 baies sont restaurées entre 2004 et 2009. L'architecte en chef des monuments historiques fait appel à une filiale de Saint-Gobain, la verrerie de Saint-Just, entreprise du patrimoine vivant, qui souffle le verre « à l'ancienne », tout en lui donnant de nouvelles propriétés de sécurité et d'isolation. Le verre Colonial, miroitant comme les verres irréguliers d'autrefois, prend place dans les baies côté jardin, tandis que, pour la galerie des Glaces, un verre étiré (réalisé à l'aide d'un vieux procédé appelé Fourcault) et biseauté est fabriqué par une autre usine de Saint-Gobain.

En 2009, Saint-Gobain PAM participe à la restauration du réseau hydraulique du château de Versailles. Certaines canalisations

en fonte datant du règne de Louis XIV, comme l'essentiel des 30 kilomètres constituant le réseau, doivent être changées. Une partie des tuyaux d'origine est nettoyée pour être conservée dans les collections du château.

Centre national des Arts du spectacle (Pékin).

Restauration des fenêtres du château de Versailles dans les années 2000.

Centre administratif du Minas Gerais (Belo Horizonte).

> LE NOUVEAU CENTRE ADMINISTRATIF DU GOUVERNEMENT DU MINAS GERAIS EST ÉQUIPÉ DE 70 000 MÈTRES CARRÉS DE VITRAGE CEBRACE.

TKTS (TIMES SQUARE TICKET BOOTH) À NEW YORK (ÉTATS-UNIS) : UN SIGNAL ROUGE AU CŒUR DE BROADWAY

Doté d'une structure autoportante enveloppée de verre, le kiosque TKTS se dresse au cœur de Times Square, immédiatement reconnaissable grâce à ses marches rouges de verre Saint-Gobain.

Kiosque TKTS (New York).

LE CENTRE ADMINISTRATIF DE L'ÉTAT DU MINAS GERAIS (BRÉSIL) : DÉFIER LE SOLEIL

Le nouveau centre administratif du gouvernement du Minas Gerais, situé à Belo Horizonte, a été conçu par Oscar Niemeyer, le père de Brasilia, sur un terrain de 800 000 mètres carrés. Les bâtiments sont équipés de 70 000 mètres carrés de vitrage Cebrace, filiale commune de Saint-Gobain et de NSG Group.

"
AVEC SES LARGES BAIES VITRÉES ET SA GALERIE DE VERRE À L'ÉTAGE, LE BÂTIMENT BAIGNE DANS LA LUMIÈRE NATURELLE. UN SOUHAIT DE L'ARCHITECTE BERNARD TSCHUMI DEVENU RÉALITÉ GRÂCE À SAINT-GOBAIN.
"

LE MUSÉE DE L'ACROPOLE À ATHÈNES (GRÈCE) : UN MUSÉE DE LUMIÈRE

Situé en contrebas de l'Acropole d'Athènes et offrant une vue imprenable sur le Parthénon, le New Acropolis Museum, inauguré en 2009, est construit sur des pilotis afin de préserver et de mettre en valeur les vestiges archéologiques qu'il surplombe. Avec ses larges baies vitrées et sa galerie de verre à l'étage, le bâtiment baigne dans la lumière naturelle. Un souhait de l'architecte Bernard Tschumi devenu réalité grâce au verre de Saint-Gobain.

Musée de l'Acropole (Athènes).

TURKU (FINLANDE) : UN CHANTIER PHARAONIQUE

Réalisé entre 2008 et 2011, le projet de Turku, en Finlande, est alors le plus grand projet d'adduction d'eau en Europe. Il vise à sécuriser l'alimentation en eau potable de cinq villes de l'ouest de la Finlande, dont Turku et ses quelque 180 000 habitants. Avec des températures souvent inférieures à -20 °C et des travaux réalisés en partie la nuit, la canalisation de Turku, longue de 100 kilomètres, est à la fois une prouesse et un chantier éprouvant.

« LE PROJET DE TURKU, EN FINLANDE, EST LE PLUS GRAND PROJET D'ADDUCTION D'EAU EN EUROPE. IL VISE À SÉCURISER L'ALIMENTATION EN EAU POTABLE DE CINQ VILLES DE L'OUEST. »

Chantier d'adduction d'eau de Turku.

Stade de Durban.

> « CETTE TOILE EN FIBRE DE VERRE ENDUITE DE RÉSINE A ÉTÉ CHOISIE POUR COUVRIR LE STADE EN RAISON DE SON CARACTÈRE ININFLAMMABLE ET DE SES PROPRIÉTÉS AUTONETTOYANTES. »

LE STADE DE DURBAN (AFRIQUE DU SUD) : QUAND SAINT-GOBAIN COUVRE LA COUPE DU MONDE DE FOOTBALL

Saint-Gobain participe à l'immense chantier du stade Moses Mabhida de Durban, construit pour accueillir la Coupe du monde de football de 2010, en fournissant plus de 45 000 mètres carrés de membrane architecturale Sheerfill. Cette toile en fibre de verre enduite de résine a été choisie pour couvrir le stade en raison de son caractère ininflammable et de ses propriétés autonettoyantes.

« LA TOUR FIRST
EST POURVUE DE
17 000 MÈTRES
CARRÉS DE VITRAGES
DE CONTRÔLE SOLAIRE
QUI PERMETTENT À LA
FAÇADE D'ATTEINDRE
UNE BALANCE
ÉNERGÉTIQUE OPTIMALE. »

**LA TOUR FIRST DE LA DÉFENSE (FRANCE) :
LA PLUS HAUTE TOUR DE FRANCE**
Construite en 1974, la tour First
fait l'objet d'importants réaména-
gements entre 2007 et 2011. Elle
culmine désormais à 231 mètres,
contre 159 auparavant, ce qui en
fait le plus haut gratte-ciel de
France. Elle est pourvue de vitrages
Saint-Gobain de protection contre
le feu, de verre intérieur et de
17 000 mètres carrés de vitrages
de contrôle solaire qui permettent
à la façade d'atteindre une balance
énergétique optimale.

Tour First (La Défense).

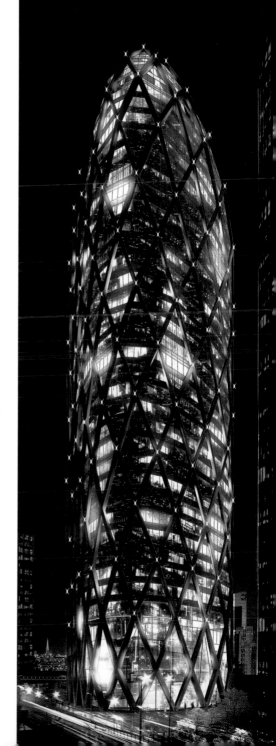

> « 15 000 MÈTRES CARRÉS DE VITRAGES FABRIQUÉS PAR SAINT-GOBAIN, RÉPARTIS EN VERRE TRANSPARENT À ISOLATION THERMIQUE RENFORCÉE ET DE CONTRÔLE SOLAIRE, ASSEMBLÉS EN DOUBLE VITRAGE, ET EN VERRE ÉMAILLÉ GRIS. »

LA TOUR D2 DE LA DÉFENSE (FRANCE) : DU VERRE QUI CONTRÔLE LE SOLEIL

La première pierre de la tour D2 a été posée en octobre 2013. Sa façade est recouverte de 15 000 mètres carrés de vitrages fabriqués par Saint-Gobain, répartis en verre transparent à isolation thermique renforcée et de contrôle solaire, assemblés en double vitrage, et en verre émaillé gris destiné à recouvrir les parties opaques de la tour. Saint-Gobain a également été sollicité pour l'aménagement intérieur.

Tour D2 (La Défense).

**UNE RÉHABILITATION EXPÉRIMENTALE
POUR UN IMMEUBLE COLLECTIF**

En réhabilitant un immeuble social construit à la fin des années 1950 à Villeneuve-Saint-Georges, en France, Saint-Gobain s'engage sur la voie de la rénovation durable. Une fois réhabilité, cet immeuble répondra à des enjeux de performance énergétique, d'accessibilité, de confort acoustique et de protection de l'environnement. Frédéric Borel, architecte du projet, souhaite « offrir à l'imaginaire une architecture protectrice, intemporelle, en apesanteur et créer une respiration ».

Projet de réhabilitation d'un immeuble collectif (Villeneuve-Saint-Georges).

**LE PREMIER ÉTAGE DE LA TOUR EIFFEL
FAIT PEAU NEUVE**

Pour la tour Eiffel, l'année 2014 est synonyme du réaménagement de son premier étage. À l'issue des tra-

Premier étage rénové de la tour Eiffel.

vaux, les visiteurs peuvent désormais vivre une expérience unique : marcher sur un plancher de verre situé à 57 mètres du sol tout en découvrant Paris. L'agence d'architectes Moatti-Rivière, qui est à l'origine de ce projet, a associé Saint-Gobain Glassolutions à la fois à la conception et à la réalisation de ce nouveau plancher en dalles de verre antidérapant.

« QUATRE PAVILLONS FUTURISTES ONT ÉTÉ CONÇUS PAR L'AGENCE FC2 AVEC DES MATÉRIAUX SAINT-GOBAIN À LA FOIS POUR EXPRIMER UN RÊVE ET POUR PROCURER DES SENSATIONS UNIQUES. »

KOE-BOGEN À DÜSSELDORF (ALLEMAGNE) : UN LIEN ENTRE LA VILLE ET LA NATURE

Construit au cœur de Düsseldorf, le centre de Koe-Bogen, qui abrite boutiques et bureaux, a été imaginé par l'architecte Daniel Libeskind comme un « nouvel environnement qui fait le lien entre les espaces urbains et les espaces verts ». Saint-Gobain a fourni les 2 200 mètres carrés de vitrages de ce projet novateur doté d'une façade incurvée d'une grande originalité.

LES PAVILLONS ÉPHÉMÈRES : UNE NOUVELLE FÉERIE POUR LES 350 ANS DE SAINT-GOBAIN

Pour son 350e anniversaire, Saint-Gobain a voulu recréer la magie du pavillon de verre de 1937 tout en montrant ce que l'ancienne Manufacture des glaces est devenue : un Groupe présent dans soixante-quatre pays, ayant un portefeuille de produits qui a considérablement évolué pour mettre l'innovation au service de l'habitat.

Quatre pavillons futuristes ont été conçus par l'agence FC2 avec des matériaux Saint-Gobain à la fois pour exprimer un rêve et pour procurer des sensations uniques. Ces pavillons, ouverts à tous et animés de jour comme de nuit, voyagent tout au long de l'année 2015 pour se poser successivement dans quatre villes du monde : Shanghai, São Paulo, Philadelphie et Paris.

Centre de Koe-Bogen (Düsseldorf).

Les Pavillons éphémères de Saint-Gobain (2015).

IV.
LES DATES

XVIIᴱ SIÈCLE

Louis XIV, sous l'impulsion de son ministre Colbert, crée une Manufacture des glaces destinée à battre en brèche la suprématie de Venise dans la fabrication de miroirs.

OCTOBRE 1665. Le roi accorde à un certain Du Noyer, proche de son ministre Colbert, des lettres patentes portant privilège exclusif pour fabriquer des « glaces à miroir ». La première manufacture est installée à Paris, rue de Reuilly, dans le faubourg Saint-Antoine.

1688. Louis Lucas de Nehou met au point pour une compagnie rivale de la Manufacture des glaces, la compagnie Thévart, un procédé révolutionnaire : la glace (verre épais destiné aux miroirs) n'est plus soufflée mais coulée sur une table métallique, ce qui permet d'en augmenter sensiblement la régularité ainsi que la taille.

1692. La compagnie Thévart s'installe à l'abri des regards indiscrets dans le petit village de Saint-Gobain, en Picardie, puis fusionne trois ans plus tard avec la Manufacture des glaces.

XVIIIᴱ SIÈCLE

Les miroirs sont à la mode et leur prix devient plus accessible. Bénéficiant des commandes royales et de celles de particuliers, la Manufacture, qui emploie plus de mille ouvriers, se modernise et connaît une prospérité croissante tout au long du siècle.

1702. Un groupe de banquiers genevois, Jacques Buisson associé aux Saladin, prend le contrôle de la Manufacture des glaces.

1757. Mme Geoffrin, femme d'entregent et actionnaire de 13 % de la Manufacture, obtient du roi le renouvellement du privilège de celle-ci (monopole et avantages fiscaux).

1758-1789. Pierre Delaunay-Deslandes dirige la manufacture des glaces de Saint-Gobain, modernisant considérablement les procédés de fabrication et l'outil de travail.

1789. Avec la Révolution française, le privilège de la Manufacture est supprimé. Cette dernière traverse tant bien que mal cette période de turbulences qui voit l'effondrement des ventes de 1795 à 1801.

Les lettres patentes de 1665, signées de la main de Louis XIV, donnent à Du Noyer « la faculté d'establir (…) une ou plusieurs verreries pour y fabriquer des glaces à miroir des mesmes et diverses grandeurs, netteté et perfection que celles que l'on fait et fabrique à Moran près la ville de Venise (…) ».

XIXᴱ SIÈCLE

Confronté à une vive concurrence internationale, Saint-Gobain diversifie ses activités dans le secteur de la chimie. À la fin du siècle, les activités chimiques et verrières s'équilibrent. La Manufacture des glaces profite de l'essor d'une nouvelle architecture de fer et de verre, principalement dans les grands équipements publics : halles, gares, passages couverts...

1830. Création de la société anonyme. Le caractère collégial de la direction de la Manufacture est confirmé par les nouveaux statuts, qui donnent le pouvoir au conseil d'administration. Saint-Gobain commence à commercialiser des produits chimiques fabriqués à base de soude dans son usine de Chauny.

1858. Saint-Gobain fusionne avec une entreprise concurrente, Saint-Quirin. La nouvelle « Manufacture des glaces et produits chimiques de Saint-Gobain, Chauny et Cirey » acquiert une dimension internationale en s'implantant en Allemagne, puis en Italie (1888), en Belgique (1898), aux Pays-Bas (1904) et en Espagne (1905).

1872. Saint-Gobain fusionne avec la maison Perret-Olivier, premier producteur français d'acide sulfurique, et renforce ainsi sa branche chimie.

Fabrication de pots pour la fusion du verre à l'usine de Mannheim, en Allemagne (s.d.).

Atelier de découpe, conditionnement et stockage des glaces à l'usine d'Arija en Espagne (s.d.).

Manufactures

des Glaces & Produits Chimiques

de

St Gobain Chauny & Cirey

· Paris ·

9, Rue Ste Cécile

ÉLECTRICITÉ

RÉCIPIENTS en VERRE SPÉCIAL

Moulés par le procédé APPERT
Breveté S.G.D.G.

ST GOBAIN

PROCÉDÉ APPERT

HORS CONCOURS
& Membre du Jury

ANVERS 1894, LYON 1894, BORDEAUX 1895, ROUEN 1896, BRUXELLES 1897

CATALOGUE

15 JUILLET 1898

Ce Tarif Annule les précédents

XXᴱ SIÈCLE

Saint-Gobain s'intéresse désormais à tous les types de produits verriers (verre à vitres, bouteilles, optique, etc.). La révolution de l'automobile et celle de l'architecture moderne, qui présente de grandes surfaces vitrées, lui procurent de nouveaux débouchés. En 1970, elle fusionne avec la société Pont-à-Mousson de fabrication de tuyaux de fonte. C'est l'émergence d'un nouveau style de management, le temps des cessions puis des acquisitions marquantes, la nationalisation suivie de la privatisation, l'intensification des efforts de recherche, l'arrivée dans de nouveaux pays et dans le monde du négoce des matériaux de construction.

1902. L'action Saint-Gobain est cotée de manière pérenne à la Bourse de Paris.

1914-1918. Les usines de Saint-Gobain subissent d'importantes destructions pendant la guerre. L'usine de Chantereine, près de Compiègne, sera construite avec les dommages de guerre.

Diplôme décerné à Saint-Gobain lors de l'Exposition universelle de Saint-Louis aux États-Unis (1904).

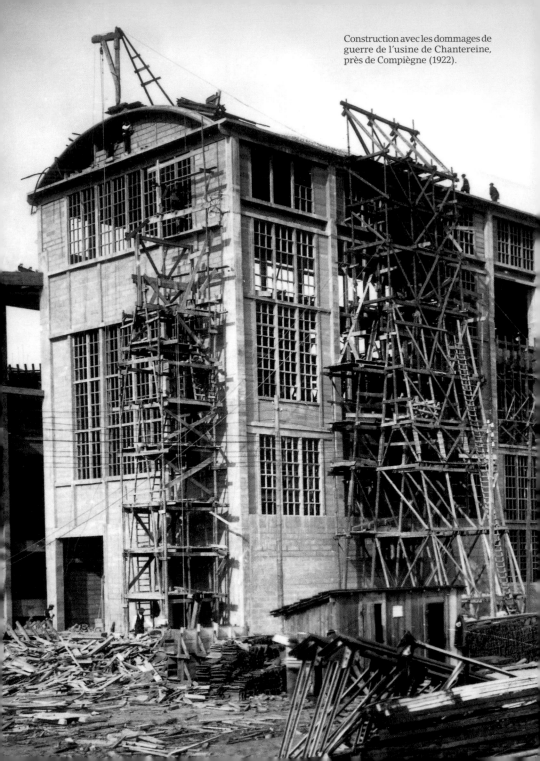

Construction avec les dommages de guerre de l'usine de Chantereine, près de Compiègne (1922).

ANNÉES 1920 ET 1930. Le verre trempé Sécurit (qui deviendra plus tard Sekurit) pour l'automobile est breveté. Une activité de produits réfractaires (qui résistent à de très hautes températures et servent à construire les fours industriels) est créée ainsi que la filiale ISOVER qui produit de la laine de verre.

1939-1945. Repli d'une partie de la Compagnie au château de Ménars au début de la guerre. Les usines allemandes et italiennes de Saint-Gobain sont mises sous séquestre.

1965. Le premier *float* (nouveau procédé de fabrication du verre plat mis au point par le rival Pilkington) de Saint-Gobain est implanté à Pise.

1967. Saint-Gobain s'associe à la société américaine CertainTeed, qu'il rachète en 1976.

1968-69. BSN, dirigé par Antoine Riboud, tente de prendre le contrôle de Saint-Gobain via une OPE qui échoue mais laisse Saint-Gobain dans une situation financière difficile.

1970. Fusion de Saint-Gobain et de Pont-à-Mousson, entreprise lorraine qui fabrique des tuyaux de fonte. De ces deux maisons que tout oppose émerge un groupe renouvelé et consolidé. Saint-Gobain-Pont-à-Mousson se retire peu à peu des secteurs de la chimie, du pétrole, de la

Roger Martin entouré de son équipe de direction après la fusion de Saint-Gobain et de Pont-à-Mousson (Neuilly, 1970).

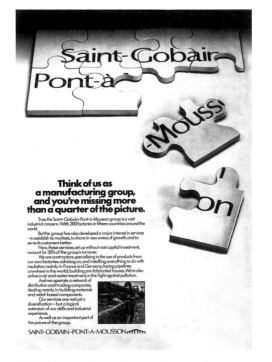

Publicité parue dans le *Financial Times* sur le nouveau groupe Saint-Gobain-Pont-à-Mousson (1973).

Numéro de la revue interne *Perspectives* consacré à l'acquisition de Norton en 1990.

> « DE CES DEUX MAISONS QUE TOUT OPPOSE ÉMERGE UN GROUPE RENOUVELÉ ET CONSOLIDÉ. »

sidérurgie et du nucléaire et se lance brièvement dans l'informatique (CII-Honeywell-Bull).

1982. Nationalisation de Saint-Gobain par le premier gouvernement de François Mitterrand.

1986. Privatisation réussie de Saint-Gobain. Les salariés du Groupe vont pouvoir entrer de manière significative au capital.

Campagne de presse de Saint-Gobain au moment de la privatisation du Groupe (1986).

ANNÉES 1990. Implantation dans les pays de l'Est, en Russie, en Asie, notamment en Chine.

1990. OPA de Saint-Gobain sur Norton, ancienne entreprise américaine d'abrasifs, de céramiques et de plastiques.

1996. Acquisition de Poliet (enseignes Point.P, Lapeyre, mortiers Weber et Broutin...).

1998. Ouverture de la première Plateforme du Bâtiment, nouveau concept de vente aux professionnels du bâtiment.

Logo de la société Poliet et Chausson (1930), acquise par Saint-Gobain en 1996.

XXIᵉ SIÈCLE

Saint-Gobain centre sa stratégie sur l'habitat durable tout en continuant de servir de nombreux marchés industriels. Fort de ses nombreuses implantations, le Groupe se développe sans cesse dans les pays émergents. Il fait des acquisitions significatives pour étendre son réseau de distribution de matériaux de construction en Europe.

SAINT-GOBAIN CENTRE SA STRATÉGIE SUR L'HABITAT DURABLE.

ANNÉES 2000. Acquisition de nouvelles enseignes de distribution de matériaux de construction : Meyer (Jewson et Graham) au Royaume-Uni, Raab Karcher en Allemagne, Pays-Bas et Europe de l'Est, Telhanorte au Brésil, Dahl et Optimera dans les pays nordiques, Sanitas Troesch en Suisse.

Planète World 350.

2005. OPA de Saint-Gobain sur British Plaster Board (gypse et plaques de plâtre).

2007. Achat de Maxit (mortiers industriels).

2008. Création de la Fondation d'entreprise Saint-Gobain Initiatives, qui soutient l'insertion des jeunes adultes dans la vie professionnelle et des projets concernant l'habitat à caractère social.

2011. Ouverture du DomoLab à Aubervilliers : destiné aux prescripteurs et architectes, cet espace futuriste permet d'expérimenter les conforts procurés par les matériaux Saint-Gobain au service de l'habitat. Inauguration de la première maison multi-confort à énergie positive de Saint-Gobain à Beaucouzé, près d'Angers.

2012. Saint-Gobain acquiert l'enseigne britannique de distribution Build Center et l'enseigne française Brossette.

2014. Saint-Gobain cède son activité de conditionnement (bouteilles et pots) aux États-Unis.

2015. Les 190 000 collaborateurs de Saint-Gobain, présents dans 64 pays, fêtent leur 350ᵉ anniversaire.

2065. Saint-Gobain, fort de ses 400 ans d'expérience, étend son territoire et devient *leader* de l'habitat durable sur la planète World 350.

La maison multi-confort de Beaucouzé, près d'Angers (2011).

Ministère

de

l'Intérieur.

2.ᵉ Division.

Bureau

des Arts

et

Manufactures.

№.° 566

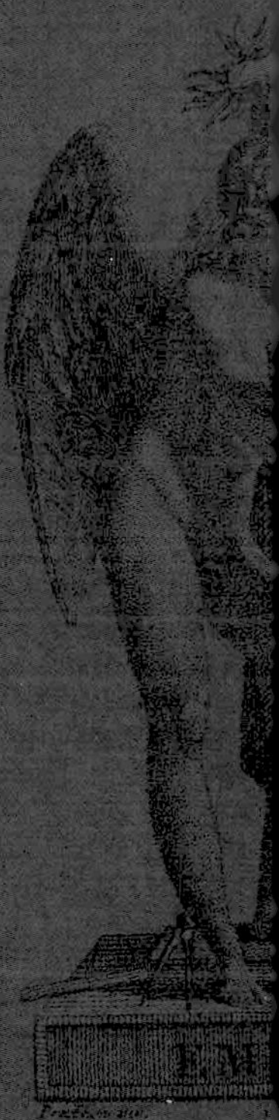

Brevet

établi par la

V.
LA TRADITION
DE L'INNOVATION

Brevet sur la composition du verre accordé aux « sieurs administrateurs de la Manufacture des glaces de Saint-Gobain » (1810).

Ministère
de
l'Intérieur.

2ᵉ Division.

Bureau
des Arts
et
Manufactures.

N.° 866

EMPIRE FRANÇAIS.

Brevet d'Invention*

établi par la Loi du 7 Janvier 1791.

Certificat de **demande d'un** Brevet d'invention de

Dix ans, ——— **délivré,** en vertu de l'Arrêté du Gouvernement

du 5 Vendémiaire an 9, aux Sⁱ administrateurs de la Manufacture des glaces de St gobain

domicilié à ——— Département de L'aisne

Le Ministre de l'Intérieur,

Vu la pétition adressée le 14 avril 1810 par les administrateurs de la Manufacture des glaces de St gobain, département de L'aisne; par la quelle ils exposent qu'ils désirent jouir des droits de propriété assurés par la loi du 7 janvier 1791 aux auteurs des découvertes et inventions en tout genre d'industrie, et obtenir en Conséquence, un brevet d'invention de dix ans pour faire du Verre avec le sulfate et le muriate de soude, sans le secours des alcalis, procédé dont ils ont declaré être les inventeurs ainsi qu'il résulte du procès verbal dressé lors du dépôt qui a eu lieu au secrétariat de la

* Le Gouvernement, en accordant un Brevet d'invention sans examen préalable, n'entend garantir en aucune manière, ni la priorité, ni le mérite, ni le succès d'une invention. (Arrêté des Consuls du 5 Vendémiaire an 9, article 11.)

BREVETS D'HIER ET D'AUJOURD'HUI

Saint-Gobain est une machine à produits et donc à brevets ! Même si les premières lois sur les brevets d'invention en France datent de 1791, les privilèges donnés sous l'Ancien Régime permettaient de protéger des inventions, telles les lettres patentes de 1688 qui garantissaient à la Manufacture des glaces l'exploitation du nouveau procédé du coulage en table mis au point par Louis Lucas de Nehou.

En France, les lois de 1791 reconnaissent et garantissent la propriété des inventeurs sur leurs découvertes pour des périodes de 5, 10 ou 15 ans. En 1919, la durée des brevets d'invention est portée à 20 ans. C'est à cette période que de véritables politiques de recherche, avec des laboratoires dédiés, sont mises en place dans des entreprises comme Saint-Gobain, où un service des brevets est créé au début des années 1920.

Au XIXe siècle, le verre reste une matière dont la composition chimique et le comportement physique sont encore mal maîtrisés. Chez Saint-Gobain, les améliorations portent notamment sur les machines à polir et doucir pour les activités verrières, ou la fabrication d'acide sulfurique pour la chimie, et ne sont pas toujours brevetées. Les premiers brevets verriers vraiment décisifs apparaissent au tournant du XXe siècle. Parmi ceux-ci, celui de Max Bicheroux qui, en 1910, dans l'usine d'Herzogenrath, lamine la

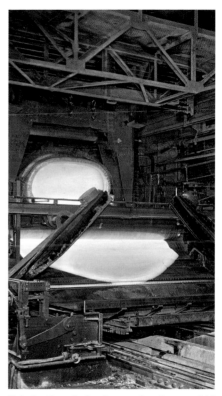

Fabrication de la glace selon le procédé Bicheroux à Herzogenrath (1966).

Coulée en table du verre à Herzogenrath (1966).

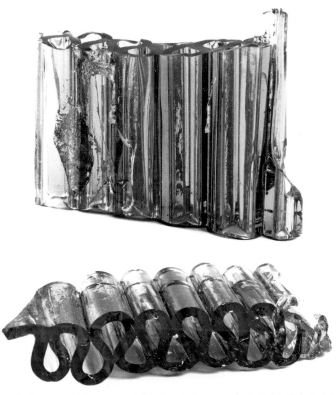

Premiers essais de verre *float* provenant du laboratoire d'essais de Saint-Gobain à Chalon-sur-Saône (1962-1963).

glace entre deux rouleaux. Il est suivi de l'invention de Louis Boudin sur la coulée continue : le verre fondu n'est plus contenu dans un pot et déversé sur une table ; il s'écoule en continu d'un grand four à bassin.

Après avoir commercialisé le verre feuilleté Triplex (découvert par hasard par Édouard Benedictus) pour le marché naissant de l'automobile, Saint-Gobain bénéficie dans les années 1930 d'une autre invention mise au point par Achille Verlay : la glace trempée (refroidie brutalement, ce qui la rend très résistante aux chocs) qui donne lieu au brevet Sécurit, promis à un brillant avenir.

Du côté de la fibre de verre d'isolation, avant la seconde guerre mondiale, Saint-Gobain exploite deux procédés : le procédé allemand Hager et le procédé américain Owens. Dans

Brevet de perfectionnement du procédé TEL de fabrication de la laine de verre (1957).

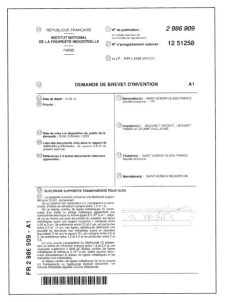

Brevet de 2012 sur les OLEDs (Organic Light-Emitting Diode).

les années 1950, des recherches importantes lui permettent de mettre au point son propre procédé de fabrication de la laine de verre : c'est le brevet TEL de 1957, dont des licences seront vendues dans le monde entier.

En 1958, Pilkington met au point le procédé *float*, consistant à verser du verre en fusion sur un bain d'étain fondu qui va donner au verre plat son aspect fini, sans avoir besoin des longues et coûteuses opérations de douci et de poli. Saint-Gobain, qui était tenu au courant des recherches de Pilkington et cherchait de son côté la solution, n'est pas convaincu par les premiers essais, avant de

se raviser. En quelques années, le *float* va devenir le procédé de fabrication de tous les grands verriers. L'aventure du *float* est emblématique de la compétition qui peut exister entre entreprises qui travaillent en parallèle à améliorer leurs procédés ou leurs produits.

Comme d'autres sociétés industrielles, Saint-Gobain oscille entre l'achat de licences pour des procédés découverts par d'autres et la mise au point de ses propres brevets. Dans certains cas, un accord est conclu avec des concurrents pour exploiter un brevet commun. Le brevet est un état de la recherche à un moment donné mais il est également une arme de la guerre économique : il ne donne pas l'autorisation de faire mais d'empêcher les autres de faire, tout en leur donnant des informations sur les recherches menées.

Aujourd'hui, Saint-Gobain dépose environ 400 brevets par an, ce qui lui vaut entre autres critères de faire partie du Top 100 Global Innovators de Thomson Reuters. La majorité de ces brevets portent sur le vitrage et les matériaux dits « haute performance ».

ÉCHANTILLONS DE VERRE DU XVIIIᵉ SIÈCLE

Les échantillons de verre donnés par Saint-Gobain au Conservatoire national des arts et métiers proviennent des directeurs des deux grandes usines de la Manufacture des glaces au xviiiᵉ siècle, Tourlaville et Saint-Gobain. Ils témoignent des nombreux essais réalisés autour de la composition et de la fusion du verre, qui rejaillissent directement sur son apparence et sa couleur. Cependant, pour Deslandes, directeur de la Manufacture de 1758 jusqu'à la Révolution, qui juge parfois sévèrement les essais de ses prédécesseurs, le secret des fabrications n'est pas dans le sable mais dans la soude qui est utilisée comme fondant. Alors que, jusque-là, on utilisait directement la soude naturelle tirée de cendres de végétaux, Deslandes va utiliser le sel de soude obtenu par une succession d'opérations : les blocs de soude sont broyés grossièrement par des ouvriers avant d'être transmis aux « éplucheuses », ouvrières qui éliminent les impuretés, et transformés dans le tordoir (ou moulin) à soude en une poudre qui, lavée et chauffée dans différentes « chaudières », permet d'obtenir par évaporation et décantation le précieux sel cristallisé.

Essais de glace réalisés par différents directeurs de la Manufacture des glaces au xviiiᵉ siècle. Collection Musée des arts et métiers – Cnam.

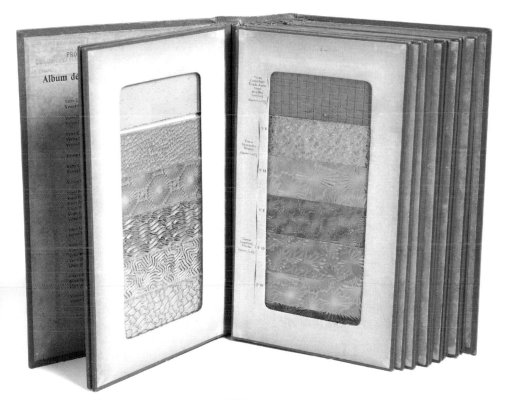

Catalogue d'échantillons de verre coulé (1913).

CATALOGUE COMMERCIAL DE VERRES IMPRIMÉS

Au sortir de la première guerre mondiale, Saint-Gobain, qui partageait ses activités entre la glace et les produits chimiques, investit toutes les filières du verre : verre à vitres, verre creux (bouteilles), fibre de verre, verre laminé... La Manufacture entretient de bonnes relations avec William Edward Chance, directeur de la verrerie Chance de Birmingham, qui achète et perfectionne en 1890 le brevet d'une machine à laminer le verre : le verre passe entre deux rouleaux qui sont gravés et qui impriment donc un motif sur la feuille de verre comme sur une feuille de papier. Le succès de ces verres décoratifs est immédiat et Saint-Gobain sera pendant un temps la seule entreprise continentale à pouvoir utiliser ces machines anglaises.

Première machine semi-automatique de fabrication des bouteilles mise au point par Claude Boucher (1898).

« LA FABRICATION DES BOUTEILLES PAR SOUFFLAGE À LA BOUCHE N'EST PAS SANS PROVOQUER DES MALADIES PROFESSIONNELLES. LA MACHINE BOUCHER SUPPRIME LE SOUFFLAGE ET LE FORMAGE MANUEL, AMÉLIORE LA SANTÉ DES VERRIERS ET AUGMENTE SENSIBLEMENT LA PRODUCTIVITÉ. »

LA MACHINE BOUCHER RÉVOLUTIONNE LA FABRICATION DES BOUTEILLES

À la fin du xixe siècle, sur fond de deuxième révolution industrielle, l'industrie du verre creux paraît encore archaïque. Le travail y est d'une grande pénibilité et les salaires inférieurs à ceux des grandes industries. La fabrication des bouteilles par soufflage à la bouche n'est pas sans provoquer des maladies professionnelles. Installé à Cognac depuis la fin des années 1870 et propriétaire de la verrerie de Saint-Martin, Claude Boucher cherche le moyen de mécaniser la fabrication des bouteilles. Après plusieurs années de recherches, il dépose en 1894 un premier brevet pour « une machine semi-automatique », prête à être fabriquée en série quatre ans plus tard. La machine Boucher supprime le soufflage et le formage manuel, améliore la santé des verriers et augmente sensiblement la productivité. En 1919, Saint-Gobain prend une première participation dans les établissements Claude Boucher de Cognac, qui sera consolidée en 1954 par la fusion avec la Société des verreries de Carmaux.

CORNING ET SAINT-GOBAIN : DE FRUCTUEUSES ASSOCIATIONS

Corning est une société américaine qui met au point et produit des verres spéciaux et des céramiques industrielles et qui est toujours à la pointe de l'innovation depuis 1851, date de sa création par Amory Houghton Sr. Corning, petite ville de l'État de New York où la société s'est installée à ses débuts, vit et se développe au rythme de Corning Inc. et abrite un beau musée dédié au verre : le Corning Museum of Glass.

À l'origine, Corning Glass Works fabriquait du verre résistant à la chaleur pour les feux de signalisation des chemins de fer ainsi que le verre des premières ampoules mises au point par Edison. Vient le temps du verre optique et de toutes sortes de verres spéciaux, dont les matériaux résistant à la chaleur et à la flamme utilisés dans les laboratoires comme dans les cuisines. L'un d'entre eux sera commercialisé sous le nom de Pyrex. À partir de 1922, une société commune entre Corning et Saint-Gobain (qui se désengagera au début des années 1970) est créée pour produire et vendre le Pyrex en Europe. Dans les années 1920 également, Corning et Saint-Gobain s'associent pour créer l'Électro-Réfractaire, qui produit les matériaux de construction des fours industriels, notamment verriers. Plus tard, Corning se retire de ce secteur et devient client de Saint-Gobain pour les réfractaires de ses fours.

En 1989, nouvelle association entre Corning et Saint-Gobain, qui perdure, autour de la plaque de cuisson en vitrocéramique. Une marque est née : EuroKera, qui connaît toujours un grand succès.

Corning, lié de longue date au Groupe, a la particularité d'être selon les moments concurrent, partenaire et client de Saint-Gobain.

Fabrication de verres de laboratoire Pyrex
dans l'usine de Bagneaux-sur-Loing (1926).

DURALEX : LE VERRE INCASSABLE

Tous les enfants de France l'ont connu à la cantine. Dans les cafés, le vin se buvait parfois aussi dans ces célèbres verres qui ne se cassaient jamais, comme par magie. Leur secret : ils étaient « trempés ». Dans le jargon du verrier, cela signifie que le verre a subi un traitement thermique qui le rend très résistant. Le verre trempé, mis au point par Saint-Gobain dans les années 1930, a connu son application la plus célèbre dans l'automobile avec la marque Sécurit, mais Saint-Gobain avait également eu l'idée de lancer, à partir de 1945, une ligne de vaisselle incassable : Duralex. L'usine de production se trouve à La Chapelle-Saint-Mesmin, dans le Loiret. Duralex connaît son âge d'or dans les années 1960, avec 50 % de la production exportée dans le monde. Saint-Gobain se sépare de cette activité dite de « gobeleterie » en 1997. Mais la marque existe toujours et connaît aujourd'hui un certain regain.

DU VERRE CREUX À VERALLIA

À partir des années 1920, Saint-Gobain décide de s'aventurer dans le secteur dit du « verre creux » (bouteilles et pots, gobeleterie, flaconnage), en menant notamment une politique de prise de participation aussi bien en France qu'en Italie ou en Espagne. En 1939, la Compagnie de Saint-Gobain représentait plus de 70 % de la production française mécanisée de verre creux ! Si la présence du Groupe sur le marché du verre creux est ancienne, l'histoire de Verallia est plus récente. La marque Verallia date de 2010, mais la création d'une branche Saint-Gobain Emballage spécialisée dans la production de bouteilles et de pots en verre en Europe remonte à 1972. Après plus de quarante années de développement et d'acquisitions, Verallia est aujourd'hui le troisième producteur mondial d'emballage en verre pour les boissons et les produits alimentaires, avec une présence industrielle dans douze pays, après la vente des usines américaines en 2014. Verallia fabrique à la fois des bouteilles et pots classiques et des produits sur mesure pour des bouteilles d'exception, avec une gamme de couleurs étendue qui a permis, par exemple, de réaliser des bouteilles de bière bleues !

Bouteille champenoise.

Verre Duralex.

Miroir vénitien avec encadrement de verre (fin XVIIᵉ-début XVIIIᵉ). Musée du verre de Murano.

« AU XIXᵉ SIÈCLE, L'ABAISSEMENT DES COÛTS EST
SPECTACULAIRE : LE MIROIR TRIOMPHE ET ENTRE
EN FORCE DANS LES HÔTELS, LES RESTAURANTS,
LES IMMEUBLES… L'ÉTAMAGE AU MERCURE,
INSTABLE ET SENSIBLE À L'HUMIDITÉ, DÉGAGEANT
DES VAPEURS NOCIVES LORS DE SON APPLICATION,
EST REMPLACÉ PAR L'ARGENTURE. »

MIROIRS D'HIER ET D'AUJOURD'HUI

Le miroir médiéval était, comme celui de l'Antiquité, en métal, en étain ou en cuivre. Le miroir constitué d'un petit disque de verre sur lequel est fixée une feuille d'étain battue et laminée grâce à une couche de mercure appelé « vif argent » est également connu, mais il faudra attendre la technique du coulage en table, à la fin du xviiᵉ siècle, pour obtenir des miroirs de grande taille, avec en outre de meilleures qualités optiques dues à la régularité de la glace.

Jusqu'à la création de la Manufacture des glaces, qui met fin à la suprématie vénitienne, le miroir est un objet relativement rare et coûteux. Au xviiiᵉ siècle, il reste un luxe qui devient cependant de plus en plus accessible et est utilisé comme objet de décoration dans l'architecture. Au xixᵉ siècle, l'abaissement des coûts est spectaculaire : le miroir triomphe et entre en force dans les hôtels, les restaurants, les immeubles… À partir des années 1860, l'étamage au mercure, instable et sensible à l'humidité, dégageant des vapeurs nocives lors de son application, est remplacé par l'argenture.

Saint-Gobain fabrique toujours des miroirs : sur le verre est appliquée comme autrefois une couche d'argent, protégée par deux couches de peinture (depuis peu sans plomb) qui empêchent corrosion, abrasion, rayures…

> SAINT-GOBAIN APPORTE SON EXPERTISE AINSI QUE DES COLLES WEBER ET 450 MÈTRES CARRÉS DE MIROIRS MIS AU POINT POUR DES FOURS SOLAIRES, PARTICULIÈREMENT RÉSISTANTS AUX CONDITIONS CLIMATIQUES.

UN *CYCLOP* EN FORME DE MIROIR AUX ALOUETTES

Le *Cyclop* est une œuvre étonnante, réalisée de 1969 à 1994 par Jean Tinguely avec Niki de Saint-Phalle, César, Arman et onze autres artistes. Cette sculpture monumentale de 22 mètres de haut, édifiée clandestinement dans le bois des Pauvres, à Milly-la-Forêt près de Paris, est un géant qui cache en son sein un petit théâtre, un appartement secret, une Méta-Harmonie qui met en branle les rouages sonores et les pensées du *Cyclop* et bien d'autres œuvres originales. Au sommet se trouve un bassin en hommage à Yves Klein, où le ciel, évidemment bleu, se reflète.

En 1987, Niki de Saint-Phalle a l'idée de recouvrir la face en béton du *Cyclop* de centaines d'éclats de miroirs. Le *Cyclop* ne fait alors plus qu'un avec la forêt qui se reflète sur sa peau. Cette œuvre magique et ludique, qui vit au rythme de la forêt et des saisons, fait l'objet d'une restauration partielle en 1996. Les miroirs souffrant beaucoup de l'humidité et du soleil, une deuxième restauration s'impose en 2014, pour laquelle Saint-Gobain apporte son expertise ainsi que des colles Weber et 450 mètres carrés de miroirs mis au point pour des fours solaires, particulièrement résistants aux conditions climatiques.

Jean Tinguely, Le *Cyclop* (1969-1994). Sculpture monumentale située dans le bois des Pauvres, à Milly-la-Forêt (Essonne), réalisée avec la collaboration de quatorze artistes. Don à l'État de Jean Tinguely et Niki de Saint-Phalle en 1987, Centre national des arts plastiques (n° inv. : FNAC 95419).

L'E-GLAS : VERRE TRANSPARENT ET CHAUFFANT

L'E-Glas, vitrage à la fois transparent et chauffant, supprime la condensation et l'effet de paroi froide. Dans sa fonction « chauffage », il diffuse une chaleur enveloppante, semblable au rayonnement solaire.

LE VERRE PRIVA-LITE : UN VERRE TRANSPARENT SUR COMMANDE

Le verre Priva-Lite de Saint-Gobain est un verre feuilleté contenant des cristaux liquides. Traversés par un courant électrique, ceux-ci transforment le verre, qui de transparent devient translucide, et inversement, sans altération de sa capacité à laisser passer la lumière.

Il est désormais possible de contrôler la transparence du vitrage à la demande et instantanément, via un interrupteur, une télécommande ou un détecteur de présence.

Le verre Priva-Lite, qui s'opacifie sur commande.

SAGEGLASS : UN VERRE QUI CONTRÔLE LA LUMIÈRE DU SOLEIL

Grâce à une commande électronique, le vitrage SageGlass varie de teinte en fonction de l'intensité des rayons solaires. Il permet d'améliorer la performance énergétique du bâtiment et de supprimer stores ou persiennes.

BIOCLEAN : LE VERRE SE NETTOIE TOUT SEUL

Le verre autonettoyant de Saint-Gobain est une petite révolution. Il est traité de telle sorte que la double action des rayons ultraviolets et de la pluie élimine automatiquement les saletés accumulées.

Le verre électrochrome SageGlass.

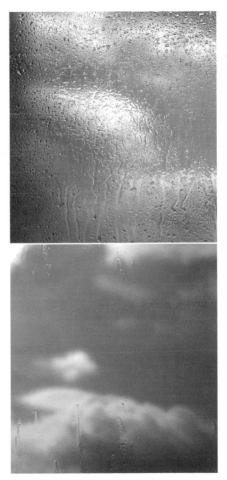

Le verre autonettoyant Bioclean.

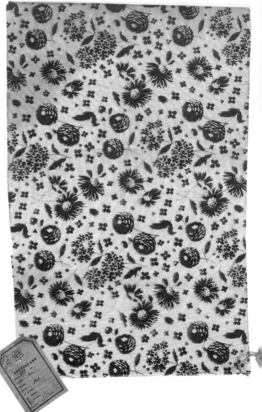

Échantillons de tissus en verre « Textiglass » (1946).
Collection Musée des arts et métiers – Cnam.

LES TISSUS DE VERRE

La propriété du verre de s'étirer en fil est connue depuis l'Antiquité, mais son usage jusqu'au XXe siècle est rare et anecdotique. À partir des années 1930, deux marchés pour la fibre de verre prennent leur essor : l'isolation et le verre textile, qui a de multiples applications en raison de sa résistance.

Les échantillons de tissu conservés au Musée des arts et métiers ont été réalisés à partir de silionne provenant de l'usine de Rantigny de Saint-Gobain. Leurs propriétés imputrescibles et incombustibles étaient très appréciées en particulier sur les paquebots ou dans les trains.

Adfors propose aujourd'hui des textiles de renforcement à partir de verre tissé, à la fois pour l'industrie et pour le bâtiment, avec des revêtements qui protègent et décorent murs et plafonds.

QUAND LE VERRE DEVIENT LUMIÈRE

Onirys est un tissu lumineux réalisé à partir du tissage de la fibre optique et de la fibre de verre, fruit d'une collaboration entre Brochier Technologies et les équipes de Saint-Gobain Adfors.

Tissu lumineux Onirys.

BAI3 : NOM DE CODE DE LA PLAQUE DE PLÂTRE STANDARD

Inventée aux États-Unis en 1894, développée par l'entreprise British Plaster Board à partir de 1917, la plaque de plâtre connaît son essor en France au lendemain de la seconde guerre mondiale alors qu'il faut reconstruire 20 % du patrimoine immobilier. Constituée de gypse (préalablement cuit) pris en sandwich entre deux panneaux de carton, elle permet de construire vite et bien. Un nouveau métier est né : celui du plaquiste, qui va remplacer peu à peu les plâtriers. La plus célèbre des plaques de plâtre est sans conteste le BA13 : 12,5 mm d'épaisseur, 120 cm de large, 250 cm de long et des bords amincis (BA) qui permettent de dissimuler les joints.

ACTIV'AIR : DES PLAQUES DE PLÂTRE QUI AMÉLIORENT LA QUALITÉ DE L'AIR

Grâce à une réaction chimique, les plaques Activ'Air éliminent en partie l'un des principaux composés organiques volatils présents dans l'air ambiant, le formaldéhyde, et permettent ainsi d'améliorer la qualité de l'air.

LES TOURS PETRONAS DE KUALA LUMPUR

Inaugurées en 1998, les tours Petronas de Kuala Lumpur ont été dessinées par l'architecte argentin Cesar Pelli. Gyproc a fourni les plaques de plâtre coupe-feu nécessaires à la construction de ces tours jumelles qui culminent à 452 mètres et sont reliées par une passerelle d'acier.

Tours Petronas de Kuala Lumpur,
chantier emblématique de Gyproc.

PLAFONDS ECOPHON :
RÉDUIRE LES NUISANCES SONORES

Via sa société Ecophon, Saint-Gobain propose une large gamme de plafonds acoustiques destinés à optimiser l'ambiance sonore, en particulier dans les bureaux, établissements scolaires ou de santé.

Plafonds Ecophon.

SAINT-GOBAIN PARTICIPE À
LA RESTAURATION DU THÉÂTRE DU BOLCHOÏ

Le théâtre du Bolchoï, à Moscou, a rouvert ses portes à l'automne 2011, après six années de travaux. Saint-Gobain a participé à ce chantier prestigieux, notamment en fournissant des plaques de plâtre de la gamme Gyproc, ainsi que de la laine de verre Isover, des panneaux décoratifs acoustiques Ecophon, des mortiers Weber…

Théâtre du Bolchoï à Moscou.

Publicité pour Isover.

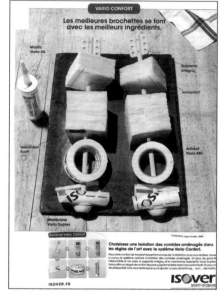

Publicité pour le produit Vario Confort d'Isover.

LE VERRE, FORMIDABLE ISOLANT

C'est à partir des années 1930 que la laine de verre commence à être utilisée massivement comme isolant dans les maisons. La société Isover de Saint-Gobain est créée en 1937 et commercialise aujourd'hui dans le monde entier tous types de matériaux isolants (laine de verre, laine de roche…).

ISOVER SUR TERRE ET SUR MER

Le système d'isolation Isover Plus repose sur la combinaison de laines de verre denses et légères : il permet ainsi d'isoler efficacement les habitations individuelles. Isover Vario Confort est doté pour sa part d'une membrane assurant l'étanchéité à l'air et le contrôle de l'humidité lors de la pose de panneaux de laine de verre. Isover propose ainsi de multiples solutions pour isoler combles et murs mais aussi toitures par l'extérieur, sols, bardages métalliques, gaines et tuyaux… utiles aussi dans l'industrie ou les constructions navales.

LE TEL : UN PROCÉDÉ RÉVOLUTIONNAIRE

Le procédé TEL, mis au point par Saint-Gobain en 1957 et vendu sous licence dans le monde entier, marque une innovation importante

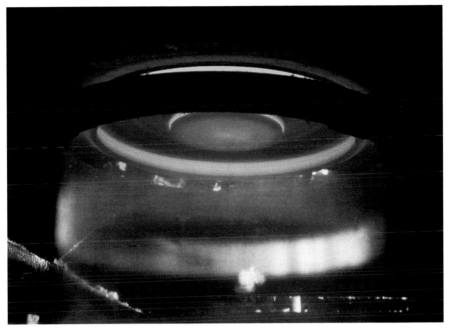

Assiette de fibrage du procédé TEL de fabrication de la laine de verre.

dans la fabrication de la laine de verre. Le verre fondu est déversé en continu dans une assiette de fibrage comportant des milliers de trous, qui tourne sur un axe vertical à une température d'environ 1 000 °C. Un puissant jet de gaz chaud étire ensuite les fibres, qui vont former un matelas de laine de verre. Le nom de TEL vient de la première machine de centrifugation LET qui reprenait les initiales du laboratoire d'études thermiques de Rantigny.

Fabrication de la laine de verre.

En retournant l'assiette de fibrage pour mettre au point le procédé, on retourna également le nom !

UN NID DE 69 MÈTRES DE HAUT PARFAITEMENT ISOLÉ

Saint-Gobain Isover a fourni 20 tonnes de laine de verre pour isoler le Stade national de Pékin, appelé, en raison de sa forme et de sa structure, le nid d'oiseau, spécialement construit pour les Jeux olympiques de 2008.

Stade national de Pékin.

UNE MAISON CERTAINTEED :
LA TRADITION AMÉRICAINE

À cette maison située aux États-Unis, dans le Midwest, la filiale de Saint-Gobain, CertainTeed, a fourni bardeaux en matériaux composites imitant le bois *(siding)* pour les murs extérieurs, *shingles* réalisés à partir d'asphalte pour les toits et toute une gamme de produits pour l'isolation, les cloisons...

Maison américaine équipée de panneaux photovoltaïques Apollo II.

Maison CertainTeed.

LE SYSTÈME APOLLO POUR RÉCUPÉRER L'ÉNERGIE DU SOLEIL

Construite en 2013 à Philadelphie, sur la côte est des États-Unis, cette maison est équipée du système Apollo II, la dernière génération de panneaux photovoltaïques développée par CertainTeed.

WEBER : *INSIDE* ET *OUTSIDE*

Weber (autrefois Weber et Broutin), qui appartenait au groupe Poliet acquis par Saint-Gobain en 1996, fabrique et commercialise des produits pour les façades ainsi que des colles et joints de carrelage. AquaBalance appartient à la gamme de ses mortiers de façade : en régulant naturellement l'humidité ambiante, il empêche la prolifération de moisissures et autres micro-organismes. Il a reçu, en 2013, le Prix de l'innovation pour le climat et l'environnement.

DES FAÇADES À L'ANCIENNE POUR L'UN DES PLUS BEAUX MUSÉES ITALIENS

Weber a participé au chantier de restauration, à la fois prestigieux et délicat, de la Galerie des Offices de Florence, dont le bâtiment date du XVIe siècle. Weber a apporté son savoir-faire et des mortiers à base de chaux pour les façades.

Restauration de la Galerie des Offices de Florence (2006-2014).

Tuyaux de fonte Saint-Gobain PAM.

position, est mise au point dans les années 1940 par deux chercheurs de la société canadienne International Nickel. La société Pont-à-Mousson comprend tout le bénéfice qu'elle peut tirer de cette innovation qui fait l'objet de perfectionnements. C'est ainsi que la fonte ductile remplace peu à peu la fonte grise, permettant à l'entreprise de contrer efficacement des produits concurrents à base d'acier ou de béton.

LES TUYAUX DE PAM

La fonte ductile, qui est plus résistante que la fonte grise grâce au magnésium introduit dans sa com-

DES TUYAUX BLEUS

Les tuyaux Blutop de Saint-Gobain PAM, mis au point en 2008, sont dotés d'un alliage de zinc, d'aluminium et de cuivre qui retarde le processus de corrosion. Leur légèreté facilite la pose.

Tuyaux Blutop de Saint-Gobain PAM.

Chantier d'adduction d'eau de PAM dans le désert.

LE CHANTIER DE SHUWEIHAT : AMENER L'EAU DANS LE DÉSERT

Signé en juillet 2002, le contrat Shuweihat visait à alimenter en eau potable les habitants de la ville d'Abu Dhabi à partir d'une station de dessalement d'eau de mer. Saint-Gobain PAM a installé 460 kilomètres de canalisations représentant plus de 400 000 tonnes de fonte.

PONT-À-MOUSSON CHAQUE JOUR SOUS NOS PIEDS

Les collaborateurs de Saint-Gobain sont toujours à l'affût d'une plaque d'égout ! Ils y retrouvent avec plaisir la mention « Pont-à-Mousson » ou « PAM ». Le leader mondial de la fonte ductile compte en effet parmi les premiers fabricants de plaques d'égout ou « regards de voirie », pour reprendre l'expression des ingénieurs et urbanistes.

Plaque d'égout PAM.

Klimacenter de Dahl au Danemark.

La Plateforme du Bâtiment
d'Alcorón, près de Madrid.

LES KLIMACENTERS : SENSIBILISER AU DÉVELOPPEMENT DURABLE

Les Klimacenters, déployés par l'enseigne Dahl de Saint-Gobain en Europe du Nord, servent à la fois de salles d'exposition, de centres de formation et de pôles de compétences dédiés aux énergies renouvelables et à la ventilation. Les installateurs professionnels et les clients particuliers peuvent y découvrir un large choix de solutions respectueuses de l'environnement mises en situation.

LA PLATEFORME DU BÂTIMENT : UN NOUVEAU CONCEPT QUI S'EST RÉPANDU EN EUROPE

La Plateforme du Bâtiment est un concept inventé par Saint-Gobain en 1998 : une sorte de « grande surface du bâtiment » qui, contrairement aux agences Point.P, est strictement réservée aux professionnels. Tous les corps de métier y trouvent leur bonheur : matériaux, outillage, ainsi que services et conseils. Forte de son succès en France, la Plateforme a ouvert dans d'autres pays européens.

> **LES AUTRES BALLES N'ATTEIGNENT PAS LEUR CIBLE MAIS TRAVERSENT LE PARE-BRISE AINSI QUE LES AUTRES VITRES SANS QU'ELLES ÉCLATENT.**

LE TRIPLEX QUI A SAUVÉ CLEMENCEAU

Le 19 février 1919 au matin, Clemenceau sort de chez lui et monte dans sa voiture pour se rendre au ministère de la Guerre, quand il est victime d'un attentat. L'anarchiste Émile Cottin tire sur la voiture et touche le président du Conseil à l'épaule. Les autres balles n'atteignent pas leur cible mais traversent le pare-brise ainsi que les autres vitres sans qu'elles éclatent. La raison de ce miracle : le vitrage Triplex s'est étoilé sous l'impact. Composé d'une feuille de plastique prise en sandwich entre deux verres minces, le Triplex est l'ancêtre du verre feuilleté qui équipe actuellement les pare-brise des automobiles.

Impact de balle sur le pare-brise en Triplex de la voiture de Clemenceau après l'attentat de Cottin (1919). « Au verre Triplex qui m'a sauvé la vie », écrit le chauffeur de Clemenceau.

Février 1919
Chauffeur de Mr Clémenceau

Pare-brise Sekurit des
nouveaux bus londoniens.

Le train italien à grande vitesse AGV réalisé par Alstom, avec des vitrages haute performance de Saint-Gobain.

SOLIDION : UN VERRE QUI FEND L'AIR

Saint-Gobain Sully réalise des vitrages de haute performance destinés à l'industrie aéronautique, ferroviaire ou encore aux véhicules blindés et à la marine militaire. Solidion est un verre feuilleté en trois épaisseurs renforcé chimiquement pour supporter la pressurisation et résister aux chocs tout en ayant un poids réduit.

LE SEKURIT, UN VERRE ÉVOLUTIF DEPUIS 80 ANS

Saint-Gobain Sekurit est le fournisseur exclusif des vitrages avant et arrière du nouveau bus de Londres, le « New Routemaster », réinterprétation du traditionnel autobus rouge.

Tous les vitrages de la Citroën DS5 sont également signés Saint-Gobain Sekurit, notamment le pare-brise et le toit panoramique conçus pour épouser le design audacieux du véhicule.

DS5 de Citroën équipée de vitrages Saint-Gobain.

Réfractaires haute performance en fin de cuisson.

LES MATÉRIAUX RÉFRACTAIRES

Saint-Gobain Sᴇꜰᴘʀᴏ conçoit, produit et commercialise des matériaux réfractaires pour fours verriers. Ces céramiques (principalement constituées d'alumine, zircone, silice) permettent aux fours verriers de durer plus longtemps et de produire, avec un meilleur rendement énergétique, des verres de bonne qualité.

DES CRISTAUX AUX RAYONNEMENTS MULTIPLES

Saint-Gobain Crystals fabrique une grande sélection de produits de scintillation et de détecteurs de rayonnement pour les marchés de la sécurité intérieure, de l'exploration pétrolière et du gaz, du secteur médical, ou encore de l'industrie et de la recherche en physique.

DES PLASTIQUES COMPOSITES POUR DES RADÔMES D'AVIONS

Saint-Gobain Performance Plastics conçoit des radômes aéronautiques en matériaux composites avancés. Sur les avions civils ou militaires, les radômes protègent antennes, radars et autres dispositifs de surveillance électronique.

Fabrication de radômes aéronautiques.

DES MICROBILLES ULTRARÉSISTANTES

Les proppants sont des billes en céramique de la taille d'un grain de sable, fabriquées sous haute température et résistantes aux pressions extrêmes. Elles sont notamment destinées à l'industrie pétrolière et gazière.

Billes en céramique fabriquées pour l'industrie.

Publicité japonaise pour les lames Norton.

Tubes Tygon pour le secteur médical et l'agro-alimentaire.

DU PAPIER DE VERRE AUX MEULES DE TRONÇONNAGE

En 1990, Saint-Gobain rachète Norton, ancienne entreprise américaine spécialisée dans les abrasifs, céramiques et plastiques. Norton fabrique des abrasifs simples, papier de verre par exemple, comme des abrasifs complexes destinés en général à des marchés industriels ou au monde du bâtiment. Ils permettent notamment d'affûter ou de meuler une surface métallique, de découper du béton, de poncer du bois comme de polir une aube de turbine...

DES TUBES EN PLASTIQUE POUR LE SECTEUR MÉDICAL ET L'AGROALIMENTAIRE

Saint-Gobain Performance Plastics fabrique des tubes flexibles de grande qualité, commercialisés sous la marque Tygon, pour les secteurs de la santé et de l'agro-alimentaire.

SAINT-GOBAIN SUR MARS

Le robot Curiosity de la NASA, qui s'est posé sur Mars en 2012, était équipé de roulements à billes fabriqués par Saint-Gobain Performance Plastics. Le détecteur de radiations de Curiosity était, quant à lui, constitué d'un plastique scintillant de Saint-Gobain Crystals, qui détecte et identifie les neutrons. Le matériau produit de la lumière lorsqu'il est exposé aux radiations. Un convertisseur de lumière transforme ensuite la lumière en un signal électrique, fournissant ainsi à la NASA des données sur les niveaux de radiation à la surface de la planète.

Robot Curiosity de la NASA.

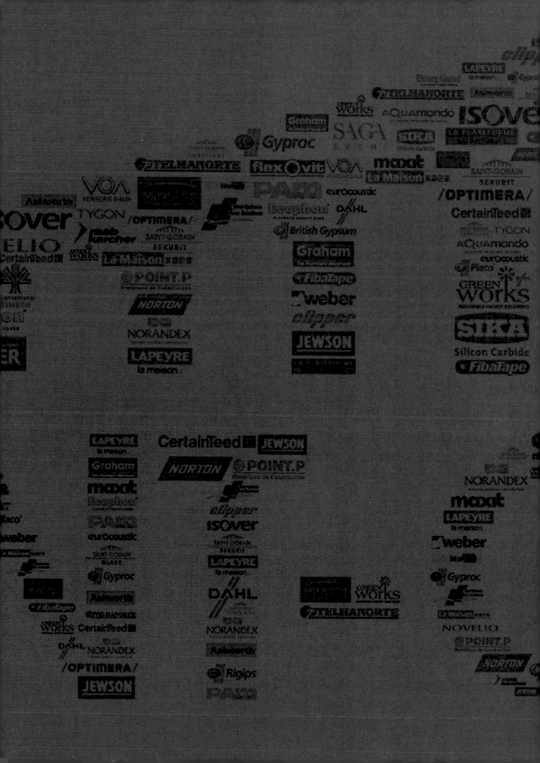

VI.
L'ESPRIT
SAINT-GOBAIN

I. LOGO : DE LA « DAME AU MIROIR » AU CÉLÈBRE PONT

Après avoir porté sous l'Ancien Régime les armes royales, la Manufacture des glaces adopte au xixe siècle comme symbole de son activité un motif exécuté pour les jetons de présence des administrateurs. Il s'agit de la « dame au miroir », qui véhicule une image de luxe et met évidemment en avant le produit traditionnel de Saint-Gobain : la « glace ». Les activités chimiques de Saint-Gobain, qui se développent à partir des années 1830, auront leur emblème à part, trois salamandres inscrites dans un octogone.

Dans les années 1960, la raison sociale et le logo de Saint-Gobain se simplifient : le nom de Saint-Gobain apparaît dans un cartouche noir assez sobre, mais la « dame au miroir », qui s'est modernisée au fil des années, est maintenue (sauf dans certains pays musulmans où l'on a préféré une représentation animale, « *White Bird* »). Cas d'école avec la fusion de 1970 entre Saint-Gobain et Pont-à-Mousson : il faut trouver un symbole commun à deux entreprises qui n'ont justement pas grand-chose en commun ! C'est l'alliance du logo de Pont-à-Mousson, le célèbre pont sur la Moselle reconstruit après la seconde guerre mondiale, stylisé en 1960 par Jean Picart Le Doux, et du nom de Saint-Gobain-

Timbre de la Manufacture royale des glaces (fin xviie-xviiie siècles).

Pont-à-Mousson qui est retenue, en attendant de trouver autre chose. Plusieurs études sont menées qui n'aboutissent pas. Au grand dam de Pont-à-Mousson, décision est prise en juin 1981 de supprimer la mention « Pont-à-Mousson ». Le pont demeure mais peu à peu le symbole prend le pas sur le souvenir de Pont-à-Mousson, avec parfois des interprétations inédites : en Inde, le pont évoque un peigne !

Saint-Gobain est relativement discret dans l'emploi de son logo, très sobre par ailleurs, qui apparaît comme celui de la holding, alors que ceux des filiales, dont certains ont une identité forte (le jaune d'ISOVER par exemple), sont mis en avant. Depuis quelques années, le logo de Saint-Gobain endosse ceux de certaines de ses marques les plus

importantes. Cette politique peut être vue comme symbolique du lien entre Saint-Gobain et ses filiales : des marques autonomes mais sous la bannière de Saint-Gobain.

SAINT-GOBAIN - PONT-A-MOUSSON

SAINT-GOBAIN

SAINT-GOBAIN

SAINT-GOBAIN

Projets de logos dessinés par l'agence Industrie Service pour le nouveau Groupe Saint-Gobain-Pont-à-Mousson (1975).

Logo composé de marques du Groupe (2009).

Évolution du logo de la « dame au miroir » de 1900 aux années 1960.

Logo « White Bird » utilisé à la place de la « dame au miroir » de Saint-Gobain dans les pays musulmans.

Les trois salamandres, emblème des activités chimiques de Saint-Gobain.

SAINT-GOBAIN

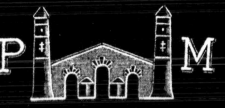

Logo ancien de Pont-à-Mousson avec le célèbre pont qui enjambe la Moselle.

PONT·A·MOUSSON S. A.

Logo de Pont-à-Mousson dessiné par Jean Picart Le Doux (1960).

GROUPE
SAINT-GOBAIN-PONT-A-MOUSSON

Logo de Saint-Gobain-Pont-à-Mousson après la fusion de 1970.

SAINT-GOBAIN

Logo actuel de Saint-Gobain.

2. PUBLICITÉS :
DE LA RÉCLAME AU MARKETING

L'autonomie des filiales de Saint-Gobain et leur créativité s'expriment naturellement dans le champ qu'est la publicité. Suivant les périodes, les pays ou les marques, de grandes campagnes sont réalisées qui marqueront plus ou moins les esprits. L'humour est souvent là et, paradoxalement, des produits de niche qui s'adressent à des professionnels ou à des clients industriels peuvent faire l'objet de campagnes aussi percutantes que celles de produits universellement connus comme la laine de verre ISOVER ou la plaque de plâtre Placo ou encore les produits Lapeyre et leur célèbre « Lapeyre, y'en a pas deux ! ». Les campagnes de publicité indiennes sont, elles, un cas d'école : comment faire connaître Saint-Gobain dans un pays où la présence du Groupe est récente et son nom imprononçable ? Aujourd'hui, Saint-Gobain (« *The future of glass. Since 1665* ») est aussi connu en Inde qu'en France !

Par ailleurs, de célèbres affichistes ont travaillé pour Saint-Gobain, comme Cassandre pour le verre automobile Triplex dans les années 1930. Cassandre écrivait dans la revue *Glaces et verres* : « Une affiche vivante nous surprendra toujours parce qu'elle imposera à notre esprit une conception inattendue, une image nouvelle, qui du reste au bout de quelque temps deviendra à son tour une habitude. C'est à ce moment seulement qu'elle pourra réunir l'unanimité des suffrages, mais c'est aussi à ce moment qu'elle aura cessé de vivre… »

Publicité pour le verre Triplex (1913).

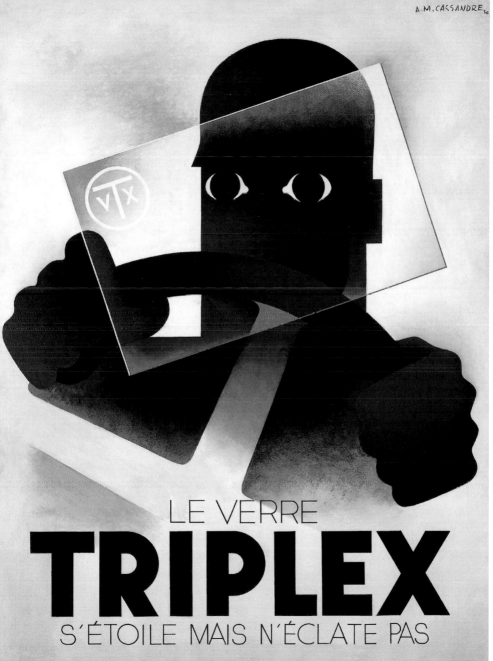

Affiche publicitaire pour le verre Triplex dessinée par Cassandre (1931).

Only After a Product has Met the High Standard set by Scientific Tests, is the Certain-teed Label Put on It

Publicités de CertainTeed (années 1920).

In Over One Hundred Products is Found that Extra Value Made Possible by Certain-teed Economies

CONTRE LE BRUIT
CONTRE LE FROID

Vitrage Isolant **SUPERTRIVER**
CENTRE D'INFORMATION : 62, Bd VICTOR-HUGO
92 - NEUILLY-SUR-SEINE
TEL. 722.08.07 et 08
SAINT-GOBAIN

Publicité Saint-Gobain pour le vitrage isolant Supertriver (1967).

FABBRICA PISANA
--SAINT-GOBAIN--

CIVILTA'
ETA' DEL VETRO

Affiche italienne pour la Fabbrica Pisana de Saint-Gobain (1940).

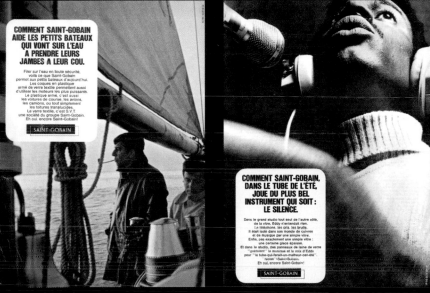

Publicité Saint-Gobain pour le verre textile (1970).

Publicité Saint-Gobain pour Isover (1967).

Publicité de la Cristalería Española pour les lunettes arrière en Sécurit (1971).

Publicité Saint-Gobain pour le verre Duralex (1971).

Lassen Sie Ihn ruhig schlafen

G+H ISOVER
Fassaden-Dämmplatten SPF 2 nichtbrennbar nach DIN 4102

Publicité pour les produits isolants G+H Isover en Allemagne (1974).

THE BENEFITS OF FULL INSULATION

Campagne CertainTeed Saint-Gobain sur l'isolation (1972).

POINT P
LE BOIS A VOS MESURES.

savignac

Campagne publicitaire de Savignac pour Point P (1982).

SAINT-GOBAIN EMBALLAGE MET LES PETITS PLATS DANS LES GRANDS.

SGE
SAINT GOBAIN EMBALLAGE

Publicité Saint-Gobain Emballage (1988).

Campagne de Saint-Gobain Vitrage : « Nous signons votre bien-être » (1990-1992).

Publicité Lapeyre (1993).

Publicité pour GME (1995).

Publicité pour Crystar, matériau réfractaire (2002).

Publicité Norton (2000).

Publicité Gyproc (2006).

Spots publicitaires de
années 1960 à nos jour

SINCE 1665
THE CUSTOMER
HAS BEEN KING

Isowool is now Isover: part of the worldwide Saint-Gobain Group, whose first ultra-demanding customer was King Louis XIV of France.

The name has changed, but our innovative glass mineral wool insulation range remains the same.

So does our commitment to developing products that keep Their Royal Highnesses, your customers ahead of the ever-changing Building Regulations. And to making your life easier and more profitable with outstanding service and technical support.

(Remember, we were the first UK range to introduce fully palletised deliveries.)

Contact us today to be first to know about the new exciting, business boosting initiatives we have planned.

And feel free to be as demanding as you like.

ISOVER

The world's leading acoustic and thermal insulation

01159 451 143

isover.enquiries@saint-gobain.com

www.isover.co.uk

SAINT-GOBAIN ISOVER UK
EAST LEAKE, LOUGHBOROUGH
LEICESTERSHIRE LE12 6JU

SAINT-GOBAIN
ISOVER UK

isover The world's leading Acoustic & Thermal Insulation

Publicité Isover (2006).

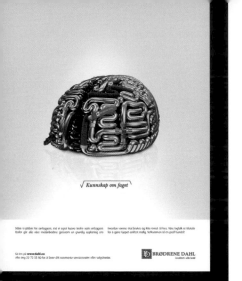

√ *Kunnskap om faget*

Sible vi plidere for varbeggere, ma vi også kunne teokre sielv verbeggere. Iverattan varene skal brukes og ikke rinnit til fesi. Vårt Vagtalk er blutobo
Doifer går alle våre medarbeidene gennom en grundig oplæring om.
for å gjøre langst enklest mulig. Velkommen til en profi-handel!

Så se på **www.dahl.no**
eller ring 22 72 55 80 for å finne ditt nærmeste servicesenter eller selgebutas

Witness a true
cultural connection.

Saint-Gobain welcomes you to the Festival of France in India.
Do join us in this celebration of art and culture.

BONJOUR INDIA - FESTIVAL OF FRANCE
DECEMBER 2009 - JANUARY 2010

SAINT-GOBAIN
The future of glass. Since 1665.

http://in.saint-gobain-glass.com

Publicité norvégienne pour Dahl (distribution
de matériaux de construction). « Connaissance
du sujet » (2008).

Publicité pour le *Festival of France in India*
(2009-2010).

blutop
A MASTERPIECE
OF ENGINEERING

Toute l'équipe de
Saint-Gobain Pipe Systems
vous présente ses meilleurs voeux
pour la nouvelle année.

Beste wensen voor het
nieuwe jaar vanwege
de hele ploeg van
Saint-Gobain Pipe Systems.

CECI N'EST PAS
UN PIPE!

SAINT-GOBAIN
PIPE SYSTEMS

Publicité belge pour les tuyaux (*pipes* en anglais) de Saint-Gobain PAM, faisant référence au

Publicité CertainTeed (2011).

Publicité danoise pour Optimera (distribution de matériaux de construction). « Soyez prêts » (2012).

Publicité pour les produits Weber utilisés lors de la restauration du Ministerio de Obras Públicas (Buenos Aires, Argentine) sur lequel est visible un immense portrait d'Eva Perón (2013).

Publicité Gibbs & Dandy (vers 2011-2012).

> « LES AMICALES DE RETRAITÉS SONT NOMBREUSES ET ACTIVES. LA PLUS ANCIENNE EST L'AMICALE DES RETRAITÉS DU GROUPE SAINT-GOBAIN, FONDÉE EN 1939 POUR VENIR EN AIDE AUX SALARIÉS ET À LEURS PROCHES AFFECTÉS PAR LA GUERRE, QUI REGROUPE AUJOURD'HUI 3 000 PERSONNES AVEC SES 17 SECTIONS LOCALES. »

3. LES TRADITIONS

LES AMICALES DE RETRAITÉS

Elles sont nombreuses et actives. La plus ancienne est l'Amicale des retraités du groupe Saint-Gobain, fondée en 1939 pour venir en aide aux salariés et à leurs proches affectés par la guerre, qui regroupe aujourd'hui 3 000 personnes avec ses 17 sections locales. Existent aussi une association des Anciens de Pont-à-Mousson et des groupes informels constitués dans les pays autour d'activités ou de sites. Les Anciens Verriers (créés au moment de l'entrée de Pont-à-Mousson dans le Groupe en 1970 pour maintenir l'identité verrière de Saint-Gobain) sont un club plus fermé qui réunit d'anciens cadres des activités verrières uniquement. Dans tous les cas, ces associations ou groupes entretiennent de bonnes relations avec le Groupe qui les reçoit régulièrement pour des présentations ou des visites.

SAINT GOBAIN

Saint Gobain est fêté, le premier dimanche de septembre, non pas dans le village du même nom dans l'Aisne, mais dans la Manche, dans le petit village de La Glacerie et aux environs ! Cette tradition très populaire perpétue le souvenir de la verrerie de Tourlaville qui appartenait aux Lucas de Nehou, gentilshommes verriers qui, au XVIIe siècle, rejoignirent le giron de la Manufacture des glaces devenue Saint-Gobain. La verrerie de Tourlaville, arrêtée en 1824, fut détruite pendant la seconde guerre mondiale.

Saint Gobain, ermite d'origine irlandaise qui aurait participé à l'évangélisation du nord-est de la Gaule au VIIᵉ siècle. Cette statuette se trouve dans le bureau d'un dirigeant américain de Saint-Gobain.

Garde suisse de Saint-Gobain
au début du XXᵉ siècle.

"CE GARDE, QUI PORTAIT "LA GRANDE LIVRÉE DU ROI", DÉTENAIT TOUTES LES CLÉS ET CONTRÔLAIT LES ENTRÉES ET SORTIES DES MATIÈRES PREMIÈRES COMME DES PERSONNES. IL SONNAIT AUSSI LA BRELOQUE, C'EST-À-DIRE LA CLOCHE QUI APPELAIT AUX CHANGEMENTS D'ÉQUIPES."

LE GARDE SUISSE

À l'entrée de Saint-Gobain se trouvait autrefois un garde suisse. La tradition n'a sans doute pas survécu à la première guerre mondiale, mais elle est attestée depuis 1749. À l'époque, l'habitude s'était répandue d'utiliser des Suisses démobilisés pour garder des établissements importants. Ce garde, qui portait « la grande livrée du roi », détenait toutes les clés et contrôlait les entrées et sorties des matières premières comme des personnes. Il sonnait aussi la breloque, c'est-à-dire la cloche qui appelait aux changements d'équipes.

LA PRIME DE CRUCIFIX

Au XVIIIᵉ siècle, travailler pour la Manufacture des glaces donnait droit à un cercueil (fabriqué sur place) car on naissait et on mourait dans l'enceinte de la manufacture, qui prenait en charge bien des aspects de la vie de ses ouvriers. Cet « avantage en nature » s'est transformé au XIXᵉ siècle en une prime appelée « prime de crucifix », encore en vigueur dans certaines usines comme Chantereine dans les années 1960 !

LA FÊTE DU TRAVAIL DE PONT-À-MOUSSON

Le 1ᵉʳ avril 1906, Camille Cavallier, qui a pris en 1900 la direction de Pont-à-Mousson, institue la première fête du travail pour rendre hommage à ceux qui ont 30 ans ou plus de service à l'usine. Plus de cent ans après, la fête existe toujours. La forme a changé mais pas le fond : hommage solennel rendu, dans la salle des fêtes de l'usine, aux médaillés du travail, en présence du président de Saint-Gobain, des dirigeants de Pont-à-Mousson et du préfet de Meurthe-et-Moselle, aux accents de la *Marche lorraine*.

Première Fête du travail à l'usine de Pont-à-Mousson (1906).

4. LES OBJETS EMBLÉMATIQUES

LES TARIFS DE LA MANUFACTURE DES GLACES

La Manufacture royale des glaces eut, probablement dès sa création, deux tarifs, l'un pour les glaces vendues aux maisons royales, l'autre pour le public (appelé « tarif marchand »). Le tarif du roi bénéficiait d'un rabais d'environ 50 % sur le tarif marchand mais les ventes aux maisons royales ne représentaient qu'une part minime du chiffre d'affaires. Quelques particuliers privilégiés, telle la marquise de Pompadour, ont pu bénéficier de ce tarif du roi, qui était toujours manuscrit, contrairement au tarif marchand, imprimé et parfois relié par de grands clients. Le tarif se présente sous la forme d'un tableau : sur la première ligne, la hauteur de la glace, dans la première colonne, sa largeur, et à l'intersection des deux, son prix en livres tournois et en sols.

LE PORTRAIT DE LOUIS XIV EN VERRE

Ce portrait de Louis XIV réalisé vers 1685 a été acheté dans les années 1960 par le président Arnaud de Vogüé et se trouve toujours dans les collections de Saint-Gobain. Il est dû au génie de Bernard Perrot, verrier originaire d'Altare installé à Orléans, qui avait réussi à « couler le cristal en tables, comme on fait des métaux », le même procédé que celui mis au point par Louis Lucas de Nehou. Ce médaillon donne l'illusion du relief mais le profil est en creux (le verre est coulé sur une table par-dessus le moule en ronde-bosse) et peint.

Tarifs brochés et reliés de la Manufacture des glaces (1722-1826).

Profil de Louis XIV, en verre coulé, par Bernard Perrot (vers 1685).

COMPAGNIE DE SAINT-GOBAIN

Fondée en 1665

DIRECTION GÉNÉRALE DES AFFAIRES COMMERCIALES
DES PRODUITS CHIMIQUES

1, Place des Saussaies - PARIS (8ᵉ)

MUSÉES SCOLAIRES

Pour connaître la composition des engrais et notamment celle des engrais compo...

veuillez vous reporter aux documents ci-joints : brochure générale ou " formules d'en...

pour diverses cultures".

> « LE BUT, FAIRE CONNAÎTRE AUX ENFANTS DES CAMPAGNES LES PRODUITS QUE LEURS PARENTS UTILISENT ET QU'ILS UTILISERONT S'ILS DEVIENNENT AGRICULTEURS À LEUR TOUR. »

LE MUSÉE SCOLAIRE « ENGRAIS ET PRODUITS CHIMIQUES »

Ce musée scolaire, qu'on trouve à de nombreux exemplaires, correspond à la généralisation des « leçons de choses » dans l'enseignement, sous la Troisième République. Il est composé de petites fioles contenant toutes sortes de produits chimiques et d'engrais fabriqués par Saint-Gobain, dans le but de faire connaître aux enfants des campagnes les produits que leurs parents utilisent et qu'ils utiliseront s'ils deviennent agriculteurs à leur tour.

Boîte d'échantillons de produits chimiques pour les écoles (vers 1925).

LA ROUE DE TIRAGE AU SORT DES OBLIGATIONS À REMBOURSER PAR ANTICIPATION

Au XIXe siècle, Saint-Gobain recourait le moins possible à l'endettement, mais la première guerre mondiale entraîna un changement de politique. Pour financer la reconstruction et la modernisation de ses usines, Saint-Gobain a désormais largement recours à ses actionnaires, que ce soit par des augmentations de capital ou des emprunts obligataires. Chaque année, une somme était affectée au remboursement des emprunts obligataires : les porteurs de coupons remboursés par anticipation étaient désignés par tirage au sort.

À la Bourse de Paris en 1971.

L'ACTION SAINT-GOBAIN

Le terme « action » est employé par la Manufacture des glaces à partir du début du XVIIIe siècle pour désigner la portion de 18 deniers (soit 6 % du capital) nécessaire pour siéger et voter au Conseil. Le terme sera consacré par le Code du commerce de 1807 (art. 34) : « Le capital de la société anonyme se divise en actions et même en coupons d'actions d'une valeur égale ». Lorsque, en 1830, la Manufacture royale se transforme en société anonyme, elle convertit son capital en actions. En 1872, Saint-Gobain compte 540 actionnaires ; ils seront 1 600 en 1913. L'action est cotée pour la première fois à titre exceptionnel à la Bourse de Paris le 15 juillet 1875. Il faut attendre 1902 pour que le conseil d'administration prenne acte du fait que l'action Saint-Gobain figurera désormais à la cote officielle de la Bourse de Paris.

À droite :
Action Saint-Gobain au porteur (1942).

Roue de tirage au sort des obligations qui seront remboursées par anticipation.

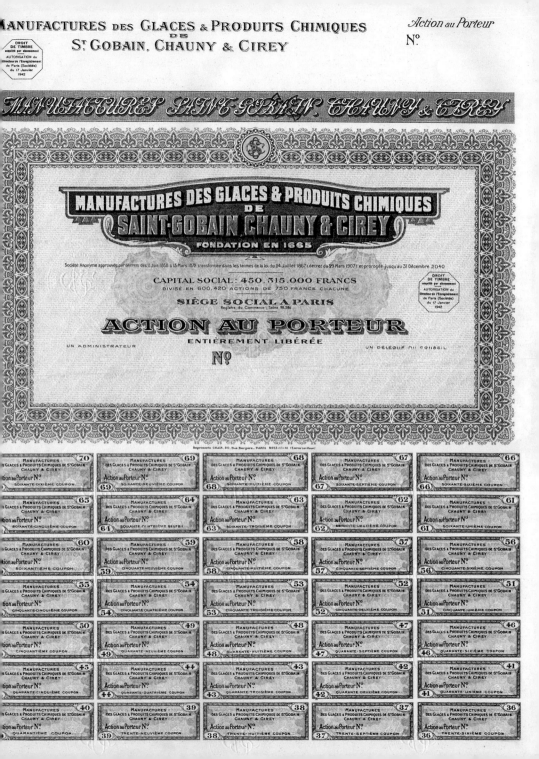

MANUFACTURES DES GLACES & PRODUITS CHIMIQUES
DE
St GOBAIN, CHAUNY & CIREY

Action au Porteur

N°

DROIT
DE TIMBRE
acquitté par abonnement
AUTORISATION du
Directeur de l'Enregistrement
de Paris (Sociétés)
du 17 Janvier
1942

MANUFACTURES DES GLACES & PRODUITS CHIMIQUES
DE
SAINT-GOBAIN, CHAUNY & CIREY
FONDATION EN 1665

Société Anonyme approuvée par décrets des 11 Juin 1858 à 13 Mars 1872 transformée dans les termes de la loi du 24 Juillet 1867 (decret du 29 Mars 1907) et prorogée jusqu'au 31 Décembre 2040

CAPITAL SOCIAL : 450.315.000 FRANCS
DIVISE EN 600.420 ACTIONS DE 750 FRANCS CHACUNE

SIÈGE SOCIAL A PARIS
Registre du Commerce : Seine 98.286

ACTION AU PORTEUR
ENTIÈREMENT LIBÉRÉE

UN ADMINISTRATEUR

UN DELEGUE DU CONSEIL

N°

DROIT
DE TIMBRE
acquitté par abonnement
AUTORISATION du
Directeur de l'Enregistrement
de Paris (Sociétés)
du 17 Janvier
1942

Imprimerie CRÉÉ, 20, Rue Bergère, PARIS 9953-41-41 (Carré Lardeur)

Bon de 5 francs émis par Saint-Gobain lors de la guerre franco-prussienne de 1870.

LES BONS ÉMIS PAR SAINT-GOBAIN

Le déclenchement de la guerre franco-prussienne, le 19 juillet 1870, a des effets immédiats sur la vie économique : la pénurie de monnaie métallique et de petits billets de banque entrave les transactions et le paiement des salaires.

Le 10 octobre 1870, le directeur général des Glaceries, Hector Biver, émet pour 1 055 000 francs de billets de nécessité en bons de 1 et de 5 francs à Saint-Gobain et Chauny (où sont employées 2 700 personnes) avec l'autorisation du préfet.

Une fois la situation revenue à la normale, les bons pourront être échangés à la Banque de France.

Saint-Gobain a renouvelé l'opération dans ses usines allemandes, à Stolberg et Herzogenrath, pendant la crise des années 1920.

LES JETONS DE PRÉSENCE

Dès les origines de la Manufacture, les statuts prévoient pour les membres du conseil une indemnité (en louis d'or, en écus ou en cire, pour échange ultérieur).

Les statuts de la société anonyme de 1830 précisent qu'« il est alloué un jeton de présence de la valeur de cinquante francs à chacun des administrateurs ou censeurs dont la présence est constatée par sa signature au procès-verbal d'une séance ». Ces jetons de présence en argent sont ornés de la « dame au miroir », qui est l'emblème de la Manufacture pendant plus d'un siècle.

MANUFACTURES DE S.ᵗ GOBAIN
CHAUNY ET CIRRY

ÉTABLIE
EN 1702
RECONSTITUÉE
EN SOCIÉTÉ
ANONYME
PAR ORDONNANCE
ROYALE
DU 17 FÉVRIER
1830

Jeton de présence
en argent des
administrateurs de
Saint-Gobain, avec la
« dame au miroir ».

Mobilier en verre conçu par René Coulon (1937).

LE MOBILIER EN VERRE DE RENÉ COULON

À l'occasion de la réalisation du pavillon de verre de Saint-Gobain pour l'Exposition internationale de 1937, René Coulon, qui en est l'architecte, a l'idée d'y exposer un mobilier de verre qu'il a dessiné et que Saint-Gobain a réalisé grâce à la nouvelle technique de la trempe (qui rend le verre incassable). Il imagine avec Jacques Adnet deux types de mobiliers : des meubles en verre bombé (édités par la miroiterie Hagnauer et fabriqués par Saint-Gobain) et des meubles en verre chauffant qui ne verront jamais le jour. Malgré la diversité des modèles, la beauté des formes, l'inaltérabilité du matériau, le succès commercial ne sera pas au rendez-vous.

LE RADIAVER

Le Radiaver est mis au point dans les années 1930 par Bernard Long, directeur du laboratoire de recherches de Saint-Gobain : deux glaces trempées Sécurit chauffées par une résistance formée de 18 bandes métallisées à l'aluminium constituent ce radiateur d'appoint. Un prototype est présenté dans le pavillon Saint-Gobain à l'Exposition internationale des arts et techniques de Paris en 1937.

Les débuts de la commercialisation du Radiaver sont un peu chaotiques car le service des ventes de la Compagnie ne croit pas à l'avenir des glaces chauffantes et n'est pas formé à la vente d'appareils électriques. Il faudra attendre l'apparition du dégivreur automobile en 1938 ainsi que la publicité faite sur la glace chauffante pour que les choses évoluent et que les ventes deviennent significatives. L'expérience du Radiaver est néanmoins arrêtée à la fin des années 1950.

Radiateur en verre commercialisé sous le nom de Radiaver à partir de 1937.

Si le Radiaver n'est certainement pas le produit le plus lucratif
et le plus performant de l'histoire de
Saint-Gobain, il bénéficie toujours
d'une certaine aura par son élégance
et son inventivité et il est encore
une source d'inspiration pour des
designers. Le radiateur Thermovit
de Saint-Gobain, réinterprétation contemporaine d'un Radiaver
devenu complètement transparent,
en témoigne.

Modèle réduit d'un camion Simca Cargo de transport de glaces Saint-Gobain (années 1950).

L'*INLOADER*

Comment livrer sans casser ? C'est un souci constant pour les verriers et miroitiers. Le camion traditionnel du miroitier, le « Cargo glacier », transportait les glaces à l'extérieur, sur des pupitres. Les usines de Saint-Gobain livraient également les grands plateaux de verre sur des pupitres, eux-mêmes chargés sur des remorques, jusqu'à l'invention géniale de l'*inloader*. Les *inloaders*, camions sans plancher dans lesquels les chevalets supportant le verre sont chargés par un système coulissant, ont été mis au point dans les années 1970 par un carrossier allemand, Langendorf, et adoptés par tous les verriers. Les *inloaders* simplifient et rendent plus sûrs les opérations de manutention et le transport, limitant considérablement la casse.

Camion *inloader* de transport de vitrages (2006).

Tenue du verrier de 1821.

LA TENUE DES VERRIERS

Le tableau d'Édouard Pingret immortalisant la visite de la duchesse de Berry à Saint-Gobain en 1821 représente les ouvriers en action, en train de couler une glace. Ils sont revêtus d'une tunique avec une seule manche protégeant le bras exposé à la chaleur des fours, de chiffons autour des tibias et du célèbre chapeau asymétrique qui protège le visage.

Trois cents ans plus tard, la protection est assurée par de nouveaux matériaux comme la marinière en coton Proban antifeu, les tenues aluminisées réfléchissant la chaleur émise par le rayonnement du four, semblables à celles que portent les vulcanologues ou encore la combinaison intégrale *heat beater*, en fibres para-aramides. Le port de lunettes teintées est impératif car les yeux pourraient être brûlés par le rayonnement du four.

Équipement actuel de protection contre les très hautes températures des maçons fumistes qui interviennent sur les fours.

Bureau des voyages au siège de Saint-Gobain à Neuilly (1961).

FAIRE LE TOUR DU MONDE DEPUIS SON BUREAU
Rares sont les bureaux de Saint-Gobain où vous ne trouverez pas de cartes du monde, de toutes tailles, de toutes sortes, ce qui n'est pas étonnant pour une multinationale implantée sur les cinq continents. Certaines sont couvertes d'épingles permettant de repérer des implantations industrielles parfois placées dans des endroits assez isolés. La carte la plus spectaculaire est sans conteste celle qui couvre un mur du bureau présidentiel (voir page 44). Jusqu'aux années 1980, le Groupe était essentiellement présent dans la « vieille Europe » (où il réalise aujourd'hui plus de la moitié de son chiffre d'affaires) ; de 18 pays, il est passé à 64 en quelques années.

> CET ESPRIT DE FAMILLE EXISTE AUJOURD'HUI ENCORE SOUS UNE AUTRE FORME : C'EST UN SENTIMENT D'APPARTENANCE, UN ATTACHEMENT FORT DES COLLABORATEURS AU GROUPE. SAINT-GOBAIN S'ÉTANT DÉVELOPPÉ ET INTERNATIONALISÉ, LA FAMILLE S'EST CONSIDÉRABLEMENT ÉLARGIE MAIS EST DEMEURÉ UN ESPRIT D'ÉQUIPE...

5. L'ESPRIT SAINT-GOBAIN : L'ESPRIT DE FAMILLE

« Quel est donc cet esprit de Saint-Gobain qui persiste sous le changement de sa surface ? Vous l'avez nommé avant moi, et d'un nom cher et sacré qui va au cœur de tous. L'esprit de Saint-Gobain, c'est l'esprit de famille (...) C'est l'esprit de famille qui a fondé Saint-Gobain : c'est l'esprit de famille qui le maintient », disait en 1865 Albert de Broglie, vice-président du conseil d'administration de Saint-Gobain et chantre du catholicisme social.

Cet esprit de famille existe aujourd'hui encore sous une autre forme : c'est un sentiment d'appartenance, un attachement fort des collaborateurs au Groupe (et réciproquement). Saint-Gobain s'étant développé et internationalisé, la famille s'est considérablement élargie mais

est demeuré un esprit d'équipe, un sens de l'intérêt commun qui n'offre aux francs-tireurs aucun avenir dans l'entreprise. On n'entre pas chez Saint-Gobain pour un poste mais pour un parcours.

Saint-Gobain a depuis longtemps fait le choix de mettre l'homme au centre de ses préoccupations et de ses décisions. En témoigne l'énergie déployée par Saint-Gobain Développement, fondé en 1982 pour créer des emplois dans des régions où Saint-Gobain était obligé d'en supprimer et pour accompagner les salariés touchés par une restructuration. Cette attention aux collaborateurs se manifeste également par une politique de santé et de sécurité au travail volontariste, préoccupation de tous les instants, ainsi que par un dialogue « utile et loyal » avec les partenaires sociaux. Dans un autre registre, le nombre d'amicales de retraités, leur

Opérateur Verallia en Allemagne.

dynamisme, l'attention que le Groupe leur porte montrent, si besoin était, que Saint-Gobain est une entreprise attachante.

À l'extérieur, comment Saint-Gobain est-il perçu ? Sans doute comme une entreprise sérieuse et solide, discrète, classique et respectable (« *an old gentleman in a grey suit* », fut-il dit lors d'un baromètre interne sur la marque). Saint-Gobain n'aime pas faire parler de lui, si ce n'est de ses activités et de ses produits. C'est aussi une entreprise qui ne renie pas ses origines et sa carte d'identité françaises et qui conserve le français pour langue officielle, même si de plus en plus de réunions se déroulent en anglais.

Saint-Gobain est une école de la rigueur et du travail bien fait, où les relations professionnelles sont marquées par une courtoisie rare, souvent agrémentée de touches d'humour. Un groupe à la fois discipliné et décentralisé où l'on martèle que les filiales doivent se sentir maîtresses de leur destin et responsables de la conduite de leurs affaires mais former également une « communauté d'entrepreneurs solidaires ». Saint-Gobain a la hantise de la bureaucratie et trouve sans cesse l'équilibre subtil entre autonomie des diffé-

Journée mondiale Environnement, hygiène, sécurité (2010).

gresser la culture commerciale et le sens du client dans tout le Groupe. À l'inverse, le monde de la distribution a beaucoup gagné au contact de Saint-Gobain en matière de sécurité.

Saint-Gobain est aussi un groupe où l'on a la passion de la technique et de l'innovation. Les champs de recherche sont nombreux et, ces dernières années, le co-développement a été intensifié, notamment par la mise sur pied d'un programme de soutien à des start-ups. Comme par le passé, Saint-Gobain a la sagesse de ne pas compter que sur ses propres forces pour imaginer les produits de demain.

Saint-Gobain est à lui seul un monde, mais un monde qui n'est pas fermé sur lui-même. Il évolue régulièrement sans se renier et se montre soucieux des réalités économiques et sociales qui l'entourent, dans les nombreux pays où il est présent. Le Groupe participe à des initiatives de formation, d'insertion professionnelle, de construction ou de rénovation d'habitat à caractère social, que ce soit par le biais de sa fondation d'entreprise Saint-Gobain Initiatives (qui soutient depuis 2008 des projets proposés par les collaborateurs), par l'adhésion de Saint-Gobain Développement à la charte *Entreprises et quartiers* et sa participation à différents projets d'insertion de jeunes dans le monde du travail et enfin par les actions des nombreuses filiales du Groupe, dont certaines peuvent avoir leur propre fondation.

rentes sociétés qui lui appartiennent (1 039 filiales !) et adhésion de tous à la stratégie, aux valeurs et « principes de comportement et d'action » qui ont été formalisés il y a un peu plus de dix ans grâce à l'implication de collaborateurs de différents horizons. Saint-Gobain a eu la sagesse de laisser aux filiales leur histoire et leur identité propres, et de faire en sorte qu'elles s'approprient en douceur celles de Saint-Gobain. C'est un échange de cultures et de bons procédés qui profite aux hommes et aux affaires. À cet égard, l'acquisition en 1996 du groupe Poliet de distribution de matériaux de construction a permis de faire pro-

VII.
LES MOTS

ANNIVERSAIRE : chez Saint-Gobain, on fête des anniversaires en permanence : anniversaires de sites industriels, d'activités, de nouveaux concepts... Les chronologies se superposent, certaines activités ou sites pouvant être très anciens, comme l'usine de fonderie de Bayard-sur-Marne, qui a fêté ses 500 ans en 2013. Beaucoup de filiales de Saint-Gobain ont été créées au xixe siècle, Pont-à-Mousson, Norton aux États-Unis, Jewson en Angleterre, Raab Karcher en Allemagne, ces deux dernières enseignes ayant toutes deux commencé dans le commerce du charbon et du bois, Dahl en Scandinavie, tandis que Lapeyre est héritier d'un petit Auvergnat qui récupérait les menuiseries des immeubles détruits par le baron Haussmann.

BOUSILLÉS : objets en verre, décoratifs pour la plupart, fabriqués par les ouvriers avec les outils et les matériaux de l'usine à des fins personnelles. On tolérait cette pratique (appelée *after hour glass* par les Anglais) qui était assimilée à un entraînement ou à un perfectionnement, la maîtrise du verre étant longue à acquérir.

BOUT CHAUD (PAR OPPOSITION À BOUT FROID) : dans les activités verrières, ce terme désigne la partie chaude de la chaîne, avec le four comme objet de toutes les attentions. Il fallait plusieurs années pour faire partie de cette aristocratie du verre qu'est le « bout chaud ».

CALCIN OU GROISIL : le verre est un matériau recyclable par essence car il est fabriqué en partie avec des débris de verre appelés calcin ou groisil. Dans la composition d'une bouteille ou de la laine de verre, on peut avoir jusqu'à 80 % de calcin.

CARREFOURS : après la fusion de Saint-Gobain et de Pont-à-Mousson en 1970, Roger Martin comprend très vite l'importance de la communication auprès des équipes. À partir de 1975, il organise de nombreuses réunions qui rassemblent trois à quatre cents personnes occupant des postes très divers, à qui la marche des affaires et les problèmes du moment sont exposés. C'est peut-être de ces réunions que les « carrefours » tirent leur origine. Ils regroupent régulièrement, en France et à l'étranger, des cadres autour de la direction générale du Groupe.

CENTRIFUGATION : procédé inventé en 1915 par deux ingénieurs brésiliens, Fernando Arens et Dimitri Sensaud de Lavaud, qui a révolu-

À droite : débris de verre appelés calcin.

tionné les fabrications de Pont-à-Mousson et d'autres fondeurs. La fabrication des tuyaux par centrifugation consiste à projeter la fonte liquide contre les parois d'un moule métallique tournant à grande vitesse – la coquille – de manière à ce qu'elle s'y applique de manière uniforme sous l'effet de la force centrifuge. Une fois la fonte solidifiée, le tuyau est extrait de la coquille et recuit dans un four. À Pont-à-Mousson, on est fier de travailler aux hauts-fourneaux et à la « centrif » !

Cérémonie de l'allumette à Călărași en Roumanie (2006).

CÉRÉMONIE DE L'ALLUMETTE : cette cérémonie, qui célèbre de manière à la fois festive et solennelle l'allumage d'un nouveau four, est sans doute un héritage des anciennes bénédictions religieuses de fours. Elle s'est laïcisée mais il reste la « marraine » qui donnera son prénom au four et qui est le plus souvent la jeune fille d'un membre du personnel que l'on souhaite honorer.

Cérémonie de l'allumette (Pologne, 2008).

COMITÉ DE LIAISON : le président de Saint-Gobain réunit trois fois par an les membres de la direction générale, les délégués et directeurs des principales activités. Sont abordées des questions de stratégie et d'actualité en lien avec les résultats. La quarantaine de participants échangent aussi des nouvelles d'ordre plus général sur les « pays Saint-Gobain », ce qui fait résonner ce quartier général d'échos politiques, économiques ou sociaux, du monde entier.

COMPAGNIE (LA) : il n'y en a qu'une, celle de Saint-Gobain, même si Roger Fauroux écrivait à propos de la Compagnie de Pont-à-Mousson : « Le terme de Compagnie connotait justement une sorte de patine aristocratique qui distinguait de la masse des "Sociétés". » La patine aristocratique s'en est un peu allée, en revanche la Compagnie (environ 240 personnes installées sur huit étages du siège de La Défense, dont le mythique 13e étage de la Direction) représente à la fois le pouvoir, la stratégie, le contrôle, tous les domaines « régaliens » qui sont ceux d'une holding. La Compagnie approuve ou non les « DAC » (demandes d'autorisation à la Compagnie) pour les nouveaux investissements présentés par les Pôles et les Activités. Suivant les périodes et le contexte, le mot Compagnie peut être prononcé

> SUIVANT LES PÉRIODES ET LE CONTEXTE, LE MOT COMPAGNIE PEUT ÊTRE PRONONCÉ AVEC TOUTES SORTES DE NUANCES...

avec toutes sortes de nuances... qu'on réserve peut-être davantage à une personne qu'à une organisation.

COUR : il ne s'agit pas de celle de Versailles mais du centre névralgique et commun à toutes les agences de Distribution Bâtiment de Saint-Gobain ! Dans la cour à matériaux, on croise les magasiniers qui y travaillent sous la houlette du « chef de cour », les clients qui arrivent ou repartent après avoir chargé leurs camionnettes, les fournisseurs, les camions qui vont livrer les chantiers avec toutes sortes de matériaux, stockés sous des hangars ou en plein air. C'est une ruche qui s'éveille tôt et qui bourdonne de tous côtés. C'est aussi un lieu d'échanges où le mot « négoce » prend tout son sens.

COÛT STANDARD : résultat d'un calcul qui détermine pour chaque produit le prix de revient pour un niveau de production budgété. C'est parfois un test pour de jeunes ingénieurs ou financiers et un exercice délicat car le coût standard ne peut jamais être totalement exact. C'est une prévision qui va permettre d'analyser l'origine des écarts d'exploitation au gré des aléas de l'année. Certaines activités industrielles comme Pont-à-Mousson ou Sekurit y sont très attachées. Le coût standard est lié au prix de revient dont le patron historique de Pont-à-Mousson, Camille Cavallier, disait au début du xxe siècle : « La question du prix de revient est la clef de toutes les autres » et « la constante préoccupation du chef d'entreprise ».

DAC : voir Compagnie.

DANSE DES SABOTS : procédé de doucissage et de polissage de la glace, scellée au plâtre sur de grandes plateformes circulaires. Pour que la glace adhérât bien sur le plâtre recouvrant

Danse des sabots (années 1920).

la plateforme, les ouvriers marchaient dessus avec des sabots. L'invention dans les années 1920 du douci-poli continu, qui mécanisait davantage les opérations, a peu à peu supprimé cette danse des sabots aussi efficace que folklorique.

Danse des sabots (glacerie de Pise, 1926).

Claire Pedini, directeur général adjoint en charge des ressources humaines.

une culture de la solution et de la coopération et d'ancrer notre Groupe, toujours plus multilocal, dans chacun de ses territoires. »

Le Groupe fait parallèlement des progrès dans le domaine de la parité, progrès qui ont valu à Saint-Gobain d'être classée troisième entreprise la plus féminisée par le cabinet Ethics and Board en 2013. Si l'univers de Saint-Gobain, par ses activités industrielles et de négoce de matériaux de construction, est traditionnellement assez masculin (« ces messieurs de Saint-Gobain », entend-on parfois encore à l'extérieur), la féminisation est en marche. Le pourcentage de femmes cadres dans le Groupe atteint aujourd'hui 20 %, près de 9 % dans la filière technique-production. La politique du Groupe est volontariste mais ne se veut pas contraignante. Par ailleurs, les femmes de l'entreprise ont créé leurs réseaux propres, ouverts également aux hommes. Parité sans agressivité !

DIVERSITÉ : le Groupe a mis en place en 2011 une politique baptisée OPEN qui s'appuie sur quatre fondements : la mobilité, la diversité, l'engagement et le développement des talents.

La diversité est entendue au sens large : diversité de passeport, de formation, de genre. « Notre objectif, dit Claire Pedini, en charge des ressources humaines du Groupe, est de tourner Saint-Gobain davantage vers l'extérieur, de nourrir

Interview de Paul Neeteson (2013).

DYNASTIE : il n'est pas rare de croiser chez Saint-Gobain des collaborateurs dont les parents, ou grands-parents ont travaillé pour le Groupe. Dans certains cas, on peut parler de « dynasties », comme dans la Manufacture des glaces du XVIIIe siècle.

Paul Neeteson (à droite) a la particularité d'avoir occupé le même poste prestigieux que son père, Petrus Neeteson (à gauche), qui fut délégué de Saint-Gobain en Allemagne de 1969 à 1979. Vingt et un ans plus tard, Paul Neeteson prenait la responsabilité de cette délégation dont le périmètre s'était élargi.

FEU ET FOUR (ALLUMÉ, ÉTEINT, EN RÉPARATION, COULÉ) : c'est un

dénominateur commun de la plupart des activités industrielles de Saint-Gobain qui ont pour cœur un four, plus ou moins grand, plus ou moins chaud, plus ou moins complexe… Des fours verriers, mis au point avec l'expertise d'une équipe spécialisée, Saint-Gobain Conceptions Verrières, sortent chaque jour des tonnes qui se transforment ensuite en mètres carrés. Les fours construits avec des matériaux particulièrement résistants dits réfractaires (produits par une filiale de Saint-Gobain SEFPRO), ont vu leur durée de vie doubler depuis les années 1970 pour atteindre 15 à 18 ans aujourd'hui. En général, le four ne s'arrête jamais sauf pour des réparations lourdes, à froid (les réparations légères étant faites à chaud) ou pour être reconstruit. La pire chose qui puisse arriver à un verrier est de voir son four « couler » : le four fuit et le verre en fusion s'écoule à la « cave », avec des conséquences qui peuvent être graves.

Four d'Herzogenrath baptisé Marie-Luise.

Intérieur d'un four *float* à l'arrêt.

> UNE LIGNE *FLOAT* EST SPECTACULAIRE SANS L'ÊTRE CAR LA PLUPART DES OPÉRATIONS SONT CACHÉES À L'ŒIL HUMAIN.

FLOAT : procédé révolutionnaire de production du verre plat, mis au point dans les années 1950 par le rival anglais de Saint-Gobain, Pilkington. Le *float* tire son nom du bain d'étain sur lequel « flotte » le ruban de verre à la sortie du four et qui supprime les opérations complexes et coûteuses de douci (abrasion du verre pour rendre les deux faces planes et parallèles) et de poli (qui donne au verre sa transparence).

Fabrication du verre plat.

Au bout de la chaîne, le verre n'a plus qu'à être coupé, rangé, expédié. Une ligne *float* est spectaculaire sans l'être car la plupart des opérations sont cachées à l'œil humain.

En revanche, des capteurs surveillent tous les maillons de la chaîne qui peuvent être sensibles. Le prix du mètre carré de *float* est un indicateur de référence, très dépendant du marché de la construction et de l'automobile.

Manchon de la Verrerie de Saint-Just.

GLACE – VERRE À VITRES : la glace était un produit de luxe (servant à réaliser des miroirs) réalisé par soufflage ou par coulage du verre en fusion sur une table métallique, puis douci et poli, par opposition au verre à vitres, plus ordinaire, plus mince et plus irrégulier, soufflé en manchon ou en plateaux. Au XIXᵉ siècle, la glace se répand dans l'architecture avec la multiplication de verrières dans des bâtiments publics comme les halles ou les gares par exemple. Au début du XXᵉ siècle, la différence entre glace et verre à vitres a tendance à s'estomper en raison de l'apparition de nouveaux procédés de fabrication. Le *float* mis au point dans les années 1960 met définitivement fin à cette distinction, au grand dam des verriers de l'époque qui savaient encore distinguer à l'œil nu la glace du verre sorti des premières lignes *float*. On parle aujourd'hui de verre plat par opposition au verre creux (pots et bouteilles) et aux verres spéciaux.

MANCHON : cylindre de verre obtenu par la technique ancienne du soufflage. Le verre en fusion est cueilli au bout d'une canne et soufflé pour former le manchon, coupé dans sa longueur et recuit pour obtenir une feuille de verre rectangulaire. Celle-ci présente des irrégularités qui lui donnent un aspect miroitant. Cette technique traditionnelle est encore pratiquée par une filiale de Saint-Gobain, la Verrerie de Saint-Just, pour les monuments anciens et historiques, et les artistes, verriers ou non.

MÉTÉO : un grand Groupe comme Saint-Gobain maîtrise beaucoup de choses sauf... le ciel ! Une mauvaise météo en Europe ou aux États-Unis influe directement sur le marché du bâtiment et peut avoir des répercussions très importantes sur l'activité et le chiffre d'affaires. De même, le nombre de jours ouvrés dans un mois est un petit paramètre qui modifie de gros chiffres. Les analystes financiers qui suivent les résultats du Groupe savent combien les couleurs du ciel peuvent éclaircir ou non le paysage de Saint-Gobain.

MILLIONNAIRES : sites de Saint-Gobain ayant passé un million d'heures travaillées ou cinq ans sans accident de travail avec arrêt. Plus de 200 sites dans le monde sont aujourd'hui millionnaires. Si le club, créé en 2004, est de moins en moins fermé, il n'est pas toujours facile de s'y maintenir : certains y entrent en même temps que d'autres peuvent en sortir...

NÉGOCE : vieux mot (dont l'étymologie signifie occupations, affaires) encore en vigueur dans le monde agricole et dans le secteur de Saint-Gobain qui vend des matériaux de construction. Le mot négoce sous-entend que les prix sont négociables, avec les fournisseurs comme avec les clients. Ces derniers achètent dans leur agence leurs matériaux lourds mais aussi leur outillage et également des conseils ! Ils peuvent même bénéficier de formations.

OPA (OFFRE PUBLIQUE D'ACHAT) OU OPE (OFFRE PUBLIQUE D'ÉCHANGE) : prise de contrôle d'une entreprise sur une autre par achat ou échange d'actions. L'histoire récente de Saint-Gobain est jalonnée de grandes OPA. Le nom de Saint-Gobain est associé à la première OPE française, lancée en 1968 par Antoine Riboud (BSN) sur Saint-Gobain et repoussée vigoureusement par l'état-major du Groupe. Plus récemment, en 1990, Saint-Gobain lance une OPA amicale, réussie, sur le groupe américain Norton, spécialisé dans les abrasifs et les céramiques. En 2005, une OPA moins amicale et tout aussi réussie est menée sur BPB, *leader* mondial de la plaque de plâtre. Cette opération est la plus grosse acquisition de l'histoire du Groupe (5,9 milliards d'euros).

PONCTUALITÉ : le monde de Saint-Gobain a beau vivre au rythme de plusieurs fuseaux horaires, la ponctualité est universellement partagée au point de devenir un signe d'appartenance. Ceux qui rejoignent le Groupe voient rapidement leurs pendules remises à l'heure.

PORTES OUVERTES : mot associé paradoxalement au monde assez fermé de l'usine, qui s'ouvre néanmoins, dans de grandes occasions, à des personnes extérieures et aux familles des collaborateurs. En

Portes ouvertes au siège de Neuilly (1968).

1968, pour se défendre de l'OPE (voir page 248) d'Antoine Riboud, le président de Saint-Gobain, Arnaud de Vogüé, avait organisé de grandes journées portes ouvertes dans les usines et au siège de Neuilly.

Journée portes ouvertes au siège de Neuilly pour contrer l'OPA de BSN sur Saint-Gobain (1968).

PUNT MARK : signe, gravé sous un pot ou une bouteille en verre, indiquant son lieu de fabrication. Le *punt mark* est la signature du verrier. Ce marquage des bouteilles s'est généralisé en Europe et aux États-Unis à partir de la seconde moitié du XIXᵉ siècle.

« SAINT-GOBAIN, GRANDS DIEUX, VALAIT BIEN UNE MESSE ! » : conclusion à laquelle arrive Roger Martin, président de Pont-à-Mousson, après avoir été invité par Arnaud de Vogüé,

Batimat 2013.

président de Saint-Gobain, à participer à la messe dans le petit village de Ménars, en marge des négociations entre les équipes qui préparaient la fusion des deux groupes.

SALONS OU FOIRES DU BÂTIMENT : dans le passé, les filiales de Saint-Gobain participaient de manière indépendante aux salons professionnels. Aujourd'hui, elles se regroupent sous l'étendard de Saint-Gobain dans les nombreux salons consacrés à l'habitat dans le monde : Batimat en France, BAU en Allemagne, Feicon au Brésil, Ecobuild au Royaume-Uni, Greenbuild aux États-Unis, Mosbuild en Russie…

SIF OU SYSTÈME D'INFORMATIONS FINANCIÈRES : logiciel déployé au début des années 1980 et adapté par Saint-Gobain. Il est la colonne vertébrale de ce Groupe connu pour sa rigueur et son orthodoxie financière. Toute entreprise acquise par le Groupe franchit deux étapes symboliques de son entrée dans un nouveau monde : intégration au système de trésorerie de Saint-Gobain puis au SIF et assimilation de la doctrine du Groupe qui va de pair. Mille huit cents financiers, comptables et contrôleurs de gestion sont connectés à cet outil dans lequel en cinq jours, chaque mois, ils devront entrer toutes les données financières de leur société. C'est le SIF qui permet aux dirigeants d'avoir, mois après mois, les milliers de chiffres, venus du monde entier et de toutes les activités, dans lesquels ils sauront repérer ceux qui sont importants ou significatifs. Les membres du club du SIF se reconnaissent à leur langage codé propre à Saint-Gobain : « Quels sont le R05 et le R50 ? » signifie « Quels sont le chiffre d'affaires et le résultat d'exploitation ? » Le SIF est le langage universel et incontesté des financiers de Saint-Gobain.

TF1/TF2 : indicateurs principaux de la politique EHS (environnement, hygiène, sécurité) de Saint-Gobain, suivis quotidiennement et largement affichés sur tous les sites. Le TF1 mesure le nombre d'accidents avec arrêt de plus de 24 heures, le TF2 le nombre d'accidents faisant l'objet ou non d'un arrêt par million d'heures travaillées. Aujourd'hui, les accidents sont davantage provoqués par le comportement que par les machines, d'où une culture EHS volontariste et draconienne. Nombreux sont les sites qui voudraient rejoindre le club des millionnaires (voir page 248) ou gagner des « diamants », remis par le président du Groupe lors d'une cérémonie au siège des Miroirs. Ces trophées (de verre), instaurés en 1990, récompensent les sites exemplaires en matière de santé et de sécurité.

VISITE OFFICIELLE : les révolutions industrielles du xixᵉ siècle favorisent les visites officielles dans les manufactures, qui se multiplient sous le Second Empire. Saint-Gobain a l'honneur de recevoir Napoléon III et l'impératrice Eugénie, qui s'essaie à l'étamage des glaces. Au xxᵉ siècle, Saint-Gobain reçoit fréquemment des personnalités françaises et étrangères, comme le roi d'Éthiopie ou le prince impérial Fushimi. Les sites industriels sont aujourd'hui l'objet d'enjeux politiques forts. Les personnalités politiques les visitent régulièrement, pas seulement au moment des inaugurations.

WCM OU WORLD CLASS MANUFACTURING : système de management destiné à améliorer la productivité, la qualité, la satisfaction du client. Il trouve son origine dans les usines japonaises, avant d'être théorisé et largement répandu. Chez Saint-Gobain, l'acquisition en 2005 de BPB (Bristish Plaster Board), où le WCM était très pratiqué, a permis au Groupe de généraliser la démarche. Le WCM est représenté comme un temple avec huit piliers correspondant à de grands objectifs. À chaque usine de travailler sur ceux qui lui semblent prioritaires. Le WCM n'est pas seulement un outil, c'est un état d'esprit et un processus permanent d'amélioration.

Visite de la duchesse de Berry à Saint-Gobain en 1821.

Visite de Nicolas Sarkozy, alors président de la République, à l'usine ISOVER d'Orange (25 novembre 2011).

Visite de François Hollande, alors candidat à l'élection présidentielle, à l'usine Placoplatre de Vaujours (28 novembre 2011).

INDICATIONS BIBLIOGRAPHIQUES

Daviet (Jean-Pierre), *Un destin international. La Compagnie de Saint-Gobain de 1830 à 1939*, Paris, Éditions des archives contemporaines, 1988. **Daviet (Jean-Pierre)**, *Une multinationale à la française. Histoire de Saint-Gobain, 1665-1989*, Paris, Fayard, 1989. **Hamon (Maurice)**, *Du soleil à la terre, Une histoire de Saint-Gobain*, Paris, Éditions JC Lattès, 2012. **Hamon (Maurice), Mathieu (Caroline), (dir.)**, *Saint-Gobain (1665-1937) : une entreprise devant l'Histoire*, Paris, Fayard / Musée d'Orsay, 2006. **Hamon (Maurice), Perrin (Dominique)**, *Au cœur du XVIIIe siècle industriel. Condition ouvrière et tradition villageoise à Saint-Gobain*, Paris, Éditions P.A.U., 1993. **Pris (Claude)**, *La Manufacture royale des glaces de Saint-Gobain (1665-1830). Une grande entreprise sous l'Ancien Régime*, Université de Lille 3, 1975.

L'exposition des 350 ans de Saint-Gobain : www.Saint-Gobain350ans.com

COPYRIGHTS

REMERCIEMENTS

Nous adressons tous nos remerciements à Nicolas de Cointet, Mihaela Cojocariu, Benjamin Chelly, Guillaume Picon et les éditions Albin Michel, pour leur grand professionnalisme, leur écoute et leur talent. Sans eux, ce livre ne serait pas ce qu'il est.

Notre gratitude va également à Pierre-André de Chalendar et Claire Pedini pour leur confiance et leur attention portée à ce projet.

Ce livre n'aurait pas été possible sans le précieux concours du centre d'archives de Saint-Gobain ainsi que celui de toutes les équipes de communication du Groupe.

Que soient remerciés tous ceux et celles, à l'intérieur de Saint-Gobain comme à l'extérieur, qui ont apporté textes ou témoignages, informations, images ou soutien :

Anne Alonzo, Luis Alvarez, Gérard Aspar, Dominique Azam, Benoît Bazin, Jean-Louis Betta, Daniel Biarneix, Catherine Bigot, Régis Blugeon, Vitaly Bogachenko, Thorsten Böllinghaus, Claude Bonnin, Frédéric Borel, Jean-Claude Breffort, Guillaume de la Broïse, Blandine Bruno, Francesca Caravallo, Anne-Laure Carré, Christophe Castelot, Arnaud Cattenoz, Karen Cawkwell, Michelle Cerutti, Lucile Charpentier, Franck Chaud, Isabelle Chêne, Sophie Chevallon, Gilles Colas, Rosangela Conti, Lydie Cortes, John Crowe, Valérie Dab, Kristin Dankanich, Isabelle Debaisieux, Regina Decker, Pierre Delayen, Pascal Denis, Agnès Deltenre, MaryLou DeSimone, Frédérique Desvergnes, Luise Donner, Sandrine Douilhet, Silvana Dressen, Nathalie Duarte, Laurent Ducol, Patrick Dupin, Minaa El Baz, Dominique Elineau, Vera Lucia Escarim, Arantxa Espada Calzada, Roger Fauroux, Carmen Ferrigno, Jérôme Fessard, Hartmut Fischer, Jean-Pierre Floris, Thierry Fournier, Sabrine Gillespie, Alexia Gilot, Michel Gimbert, Javier Gimeno, Laurent Guillot, Richard Halderthay, Maurice Hamon, Anne Hardy, Sonia Hauseux, Guy Hervé, Peter Hindle, Thomas Hyon, Claude Imauven, Benoit d'Iribarne, Thomas Kinisky, Dominique Klein, Thierry Lambert, Agnès Lamour, Laurence Lesage, David Lesanne, Aurélie Lesous, Mélanie Letertre, François-Xavier Lienhart, Mike Loughery, Catherine Lu, Michel Magot, Anand Y. Mahajan, Pierre Mainguenaud, Maurice Manceau, Dominique Marcel, Virginie Maréchal, Virginie Mary, Jean-Pierre Mazeau, Vanessa Melchior, François-Xavier Moser, Claire Moses, Patrick Motron, René Muller, Paul Neeteson, Laure Ngombi, André Orsini, Marie Peltier, Lauren Petit, Denis Petit-Maire, Jean-François Phelizon, Gonzague de Pirey, Dina Pokedoff, Ricardo de Ramon Garcia, Mathieu Rayer, Pénélope Reider, Olivier Ricard, Martina Rihova, Adriana Rillo, Jacky Robinet, Amélie Rohr, Azucena Rojas, Tomas Rosak, Didier Roux, François Roux, Ileana Sanchez, Nicole Schuler, Gianni Scotti, Marie Segondat, Bill Seiberlich, Medha Shanbhag, Morgane Siberil, K. Srihari, Morten Starup, Jean-Paul Straetmans, Benjamin Suc, Ewa Swiderska, Slawomir Szpunar, Jean-Louis Thuaudet, Florence Triou, Ayuna Urbaeva, Philippe Valéry, Denis Valode, Brigitte Vassille, Frédéric Verger, Ella Victor, Cécile Vié, Antoine Vignial, Michel Wenger, Isabelle Wuest.

3 1969 02426 0340

Direction éditoriale : Nicolas de Cointet
assisté de Mihaela Cojocariu
Conception graphique : Frédéric Hallier
Fabrication : Alix Willaert
Photogravure : IGS-CP (16)
Imprimé et façonné en France par Pollina S.A. 85400 Luçon.L70806.
ISBN : 9782226259134
© Albin Michel 2015
Dépôt légal : première semestre 2015
Éditions Albin Michel, 22 rue Huyghens, 75014 Paris, www.albin-michel.fr